Iris JOHANSEN

And the Desert Blooms

Star-Spangled Bride

P9-AOY-536

Голос Сердца

Айрис ДЖОАНСЕН

Единственный мужчина
Путеводная звезда

Романы

МОСКВА
«ЭКСМО-ПРЕСС»
1999

УДК 820(73)
ББК 84(7 США)
Д 42

Iris JOHANSEN
AND THE DESERT BLOOMS
STAR-SPANGLED BRIDE

Перевод с английского
Е. Тарасовой, Е. Дроздовой

Разработка серийного оформления
художника *С. Курбатова*

Серия основана в 1997 году

Джоансен А.
Д 42   Единственный мужчина. Путеводная звезда: Рома-
ны /Пер. с англ. Е. Тарасовой, Е. Дроздовой.— М.:
ЗАО Изд-во ЭКСМО-Пресс, 1999. — 304 с. (Серия
«Голос сердца»).

ISBN 5-04-003599-3

Для веселой озорницы Дори всегда существовал только лишь один мужчина на свете — великолепный Филип Эль Каббар. Все годы, проведенные в школе, она мечтала о встрече с ним. Но не ждет ли ее разочарование? Ведь еще ни одной женщине не удалось занять место в сердце могущественного шейха. («Единственный мужчина»)

Фотожурналистке Ронни Далтон удается организовать побег Гейба Фолкнера, захваченного террористами. Много лет назад этот удивительный человек спас жизнь юной Ронни и стал ее кумиром. И вот теперь судьба вновь свела их вместе... Гейбл никого не подпускал к себе слишком близко, но эта девушка обладала какой-то непонятной властью над ним.:. («Путеводная звезда»)

УДК 820 (73)
ББК 84(7 США)

Copyright © 1985 by Iris Johansen
Copyright © 1993 by Iris Johansen
© Издание на русском языке. ЗАО
«Издательство «ЭКСМО», 1999 г.
© Оформление. ЗАО «Издательство
«ЭКСМО-Пресс», 1999 г.

ISBN 5-04-003599-3

Единственный мужчина

Роман

Глава 1

Дори расстегнула цепочку и сняла медальон. Взгляд девушки задержался на изображении: цветущая роза, пронзенная шпагой. Шесть лет она не расставалась с этим амулетом и сейчас без него вдруг почувствовала себя беззащитной и уязвимой.

Шесть лет ожидания. Но теперь настало время действовать. Дори добьется своего, не может не добиться. Все просчитано до мелочей. Прочь сомнения и страхи!

Но что, если Филип просто возьмет медальон из футляра и кинет в ящик письменного стола? Что, если он забыл Дори? Ведь прошло столько лет! Конечно, за эти годы в спальне сиятельного шейха Эль Каббара побывало немало женщин. Мысль эта причиняла боль, и Дори поспешила прогнать ее от себя. Она точно знала, что Филип не был женат или помолвлен. А любовница — пусть даже постоянная — ей не помеха. Скоро Дори станет единственной женщиной в жизни шейха Эль Каббара. Она дала себе слово добиться его любви. На свете нет больше женщины, которая знала бы Филипа так хорошо, как она. И это — ее главное оружие. Впрочем, не единственное.

Нет, Филип не посмеет бросить медальон в ящик и забыть о нем! Одной из главных его черт было обостренное чувство собственности. Когда-то Филип надел амулет на шею Дори в знак того, что она принадлежит ему, находится под его покровительством. И он никогда не откажется от того, что считает своим.

Решительно захлопнув футляр, Дори взяла со стола последний номер журнала «Роллинг стоун». Завернув то и другое в крафтовую бумагу, она написала на свертке адрес Джеймса Абернати, лондонского агента шейха. Дори знала из газет, что Филип проводит много времени в Великобритании. Даже если его нет в Лондоне, Абернати наверняка поддерживает с ним связь.

Стук в дверь прервал ее размышления.

— Одну минутку!

— Можешь не спешить! — послышался голос Нила Сейбина. — Я вовсе не тороплюсь услышать, как ты уродуешь мои чудесные песни своим скрипучим голосом.

Дори улыбнулась, почувствовав, как спадает напряжение. Нил всегда умел поднять ей настроение, а его неизменная поддержка помогла Дори добиться многого за последние два года.

— Тогда почему ты не поешь свои песни сам? — спросила Дори с лукавой улыбкой, открывая дверь. — Ведь твой голос куда лучше моего. Да у любой лягушки на болоте голос лучше, чем у меня.

— Зато внешность у лягушки подкачала. — Нил взял у Дори сумку. — Хоть голосок твой и не слишком мелодичен, зато фигура неизменно обеспечивает сборы.

— Большое спасибо. Хорошо, что я не отношусь ко всему этому серьезно, а то, наверное, впала бы в депрессию от подобных комплиментов.

— Если бы мы разговаривали серьезно, никогда не

отозвался бы о твоем вокале так неуважительно. Ведь не кто-нибудь, а именно я потратил два года на то, чтобы сделать из тебя певицу, а не просто звезду. — Нил взял Дори за руку: — Пора трогаться. Поли и Джин уже репетируют.

Заперев дверь, Дори направилась вслед за Нилом к лифтам в конце коридора.

— Нам придется еще задержаться. Мне надо заехать по дороге на почту и отправить вот это. — Она вынула из сумки, висящей на плече Нила, сверток с адресом Абернати.

В глазах Нила мелькнуло любопытство. За четыре года их знакомства Дори никогда не получала и не отправляла писем, а тем более посылок.

— Я могу сделать это за тебя, — предложил Нил. — Что-то важное?

— Да, это очень важно. — Дори почувствовала, как дрожит рука, нажимавшая на кнопку лифта.

Надо немедленно взять себя в руки. От Нила, судя по всему, не укрылось ее волнение. Вскинув голову, Дори одарила его одной из своих самых лучезарных улыбок.

— Очень важно, — повторила она. — Помнишь, в прошлом году, когда ты болел гриппом, я была твоей заботливой сиделкой?

— Еще бы не помнить, — кивнул Нил. — Никогда в жизни не чувствовал себя таким несчастным, как тогда.

— Ты сказал после этого, что в долгу передо мной.

— Взыскиваешь долги, Дори?

— Мне нужна помощь. — Она нервно облизала губы. Нелегко было произнести эти слова. Дори ухаживала за Нилом во время болезни, потому что он был ее другом, и теперь чувствовала себя неловко, требуя платы за услуги.

— Я пойму, если ты не захочешь, но я думала...

— Ради бога, успокойся, Дори. — Двери лифта раскрылись, и Нил подтолкнул ее внутрь. — Мы ведь друзья. Если тебе нужна помощь, только скажи.

— Хорошо. — Дори набрала в легкие побольше воздуха. — Я хочу, чтобы мы жили вместе.

— Что-о?!

Двери лифта плавно закрылись.

— Зайдите, Абернати.

Джеймс Абернати помедлил перед закрытой дверью, ведущей в библиотеку. Он не торопился оказаться лицом к лицу с Эль Каббаром. Дорога из Лондона в загородный дом шейха, всегда казавшаяся Абернати изнуряюще длинной, на этот раз промелькнула почти незаметно. Джеймс Абернати считал Лондон единственным подходящим местом для цивилизованного человека и отказывался понимать, почему шейх Эль Каббар, находясь в Англии, предпочитает жить вне ее столицы. Конечно, Филип не мог и дня прожить без лошадей — конюшня шейха была одной из самых знаменитых, — но ведь существует Гайд-парк, где можно кататься по утрам.

Предстоящая встреча с Филипом не сулила Абернати ничего хорошего. Уже из телефонного разговора стало понятно, что шейху очень не понравились новости, полученные Абернати с утренней почтой. Напрасно Джеймс думал, что Эль Каббар вздохнет с облегчением, узнав, что нашлась наконец строптивая девчонка, которую он искал уже более шести лет.

У шейха Эль Каббара был весьма тяжелый характер, но Абернати, будучи его поверенным, получал достаточно хорошее жалованье, чтобы терпеть высокомерие и вспыльчивость Филипа.

Толкнув дверь, Джеймс переступил порог библиотеки. Шейх выглядел еще более рассерженным, чем показалось Абернати по телефону.

— Где пакет? — резко спросил он.

— Вот он. — Открыв портфель, Абернати выложил посылку на журнальный столик. — Я вскрыл его, как вскрываю всю почту в ваше отсутствие. — Джеймс замялся и продолжил извиняющимся тоном: — Я не знал, что там... что-то личное. Если я вам не нужен... — Джеймс приготовился спасаться бегством.

— Садитесь, Абернати, вам не удастся ускользнуть, — развеял его надежды шейх.

Филип нервно мерил шагами комнату. Судя по его костюму, он как раз собирался прокатиться верхом, когда раздался звонок Абернати. Джеймс от души надеялся, что Филип не станет менять своих планов.

Подавив вздох, Абернати покорно опустился в кресло.

— Конечно, шейх Эль Каббар. Всегда к вашим услугам. Я просто не хотел вмешиваться в ваши личные дела.

— Не думаю, что буду растроган письмом Пандоры, — с напускным цинизмом произнес Филип, торопливо срывая обертку с пакета. — Из всех человеческих эмоций ей чаще всего удавалось вызывать у меня гнев и бешенство. Так что же прислала нам маленькая беглянка?

— Не такая уж маленькая, судя по фото на обложке журнала, — вставил Абернати. — Она ведь уже не пятнадцатилетняя девчушка, которой была шесть лет назад, когда исчезла в неизвестном направлении.

Открыв футляр и увидев его содержимое, Филип будто окаменел. Потом резко захлопнула крышку. Взяв со стола журнал, он посмотрел на фотографию.

— Рок-звезда... Нетрудно было догадаться, что Дори выберет что-нибудь в этом роде.

— Она стала настоящей красавицей, — заметил Абернати, позволив себе улыбнуться. — Кто бы мог подумать, что худенькая девчушка превратится в девушку с журнальной обложки?

Абернати видел Пандору только один раз, когда встретил ее шесть лет назад в лондонском аэропорту. А на следующий день Дори убежала, оставив лишь запечатанное письмо для шейха. Тогда она была угловатым подростком с коротким серебристым «ежиком» на голове.

Фотография на журнальной обложке не оставляла сомнений в том, насколько изменилась Пандора Мадхен. Классически правильные черты лица, выразительные черные глаза, роскошная фигура, подчеркнутая одеянием, напоминавшим греческую тогу. Пожалуй, бюст был немного великоват, но большинству мужчин это наверняка нравилось. Даже от фотографии Пандоры исходили волны чувственности. Хотелось коснуться ее изображения, погладить его...

Абернати невольно заерзал в кресле.

— Как вы думаете, это рыжее безобразие у нее на голове — парик? Или она перекрасилась? Тогда непонятно, зачем ей это понадобилось. У нее, насколько я помню, были красивые белокурые волосы.

Филип не сводил глаз с журнала.

— Конечно, это парик. Но я нисколько не удивлюсь, если под париком Дори окажется побритой наголо. В пакете не было письма?

Абернати покачал головой:

— Нет. Только журнал и коробочка.

Взяв журнал, Филип подошел к конторке перед камином.

— Вы прочитали статью?

— Большую ее часть. Статья посвящена не только Пандоре, но и всей группе. У «Немезид» неплохая репутация среди поклонников такого рода музыки.

— У «Немезид»? — Филип удивленно поднял брови.

— Так называется группа. Не удивлюсь, если Дори сама придумала название.

— Скорее всего. — Филип задумчиво смотрел на огонь, пылающий в камине. — Изложите мне все в общих чертах, опуская подробности.

— Судя по всему, никто в Соединенных Штатах не знает фамилии Пандоры. Во всех публикациях ее называют по имени. Многие рок-певцы прибегают к подобным уловкам. Это создает ореол таинственности. — Абернати неодобрительно поджал губы. — Это осложнило поиски. Если бы Дори использовала фамилию, наши детективы давно бы ее обнаружили. Она ведь выступает на сцене уже два года.

— Так долго?

Абернати кивнул:

— Одна из песен группы два года назад возглавляла хит-парады, и «Немезиды» стали очень популярны. Кстати, все музыканты группы — англичане, так что скорее всего Дори встретила их в Лондоне.

— Тогда почему ее не нашли эти бестолковые детективы?

— По вполне понятным причинам. Не там искали. — В голосе Абернати послышался упрек. — Вы дали нам неточную информацию. Сказали, что девочка честолюбива и тщеславна. Трудно было предположить, что ее заинтересует карьера рок-певицы.

— Но я также объяснил им, что эту девчонку следует искать в любом, самом невероятном месте. Для Пандоры не существует границ. Она просто не знает, что это такое. Почему же они меня не послушались?

— Уверен, сыщики искали весьма тщательно. У агентства «Блэквеллз» отличная репутация. — Абернати понял, что не сумеет убедить шейха, и поспешил перевести разговор на другую тему: — Вы позвонили ее отцу в Седихан? Он знает, что Дори нашлась?

— Сразу же после вашего звонка. Карла не было на месте, но я оставил сообщение его ассистентке.

— Думаю, он будет рад этой новости.

— Да уж, — хмыкнул Филип. — Потерять шесть лет назад сумасшедшую девчонку, а теперь получить обратно двадцатилетнюю рок-звезду с оранжевыми волосами...

— Но она же его дочь, — вставил Абернати.

Возникла долгая пауза.

— Да. Дочь, — повторил через несколько секунд

шейх. — Со всеми вытекающими отсюда последствиями. Мадхен всегда был абсолютно равнодушен к Пандоре. Когда я сообщил ему, что девочка потерялась, он лишь пожал в ответ плечами. Нет, они никогда не были близки.

— Может быть, поэтому Дори и убежала? Я-то решил тогда, что девочка сделала это в знак протеста против того, что ее отправили учиться в Англию.

— Нет, все не так просто, — разуверил его Филип. — Когда речь идет о Дори Мадхен, ничего и никогда не бывает просто.

— Вот как? — Абернати вопросительно взглянул на шейха.

— Нет, она не была моей любовницей. Я никогда не увлекался нимфетками. Предпочитаю женщин опытных и зрелых.

Абернати был прекрасно осведомлен о вкусах патрона. Оперная певица, с которой связывали в последнее время имя шейха Эль Каббара, обладала обоими этими качествами.

И все же шесть лет назад Филип весьма удивил Абернати своей реакцией на исчезновение Пандоры Мадхен. Шейх тут же прилетел в Лондон и примерно год сам возглавлял поиски. Это было необычно само по себе, но больше всего Абернати удивило тогда подавленное состояние Филипа.

— Никогда не посмел бы предположить ничего подобного, — заверил Филипа Джеймс. — Мне известно, что доктор Мадхен работает на вас много лет. Неудивительно, что вас беспокоит судьба его дочери. Вы наверняка сделали бы то же самое для любого...

— Черта с два, — резко перебил его Филип. — О моих сотрудниках неплохо заботятся, но возня с их детьми не входит в мои обязанности.

— Тогда почему... — Абернати осекся. Он понимал, что переходит границу дозволенного. Шейх Филип Эль Каббар не поощрял в своих служащих излишнего любопытства. — Дори была очень милым ребенком, — произнес он после паузы. — Тихим и исключительно вежливым.

— Вы заблуждаетесь, — сухо заметил шейх. — Дори не имела ни малейшего понятия о том, что такое вежливость и правила хорошего тона. Девчонка была дикой и необузданной. И, судя по фотографии, она не очень изменилась.

— Но вы должны признать, что ей удалось добиться успеха.

— А по-другому и быть не могло. Дори никогда не была как все. — Филип отвернулся от огня и подошел к письменному столу. Опустившись в массивное кожаное кресло, он положил журнал перед собой.

— У «Блэквеллз» есть отделение в Соединенных Штатах?

— Думаю, да. А если нет, они всегда сумеют договориться с кем-нибудь из партнеров. Но зачем это? — Абернати нахмурился: — Ведь мы уже знаем, где искать мисс Пандору. Если она написала обратный адрес, значит, не собирается скрываться.

— Действия Дори никогда не подчинялись привычной логике. А я не хочу опять потерять ее. К тому же пора наконец поработать вашим замечательным детективам. Они должны будут не только следить за

Дори, но и охранять ее. Кто знает, какие люди окружают рок-звезду. — На губах шейха заиграла улыбка. — Впрочем, вряд ли кто-нибудь из них окажется опаснее тигра, с которым она подружилась перед своим отъездом из Седихана.

— Тигра? — удивленно переспросил Абернати.

Эль Каббар махнул рукой.

— Не стоит об этом. Длинная история. В общем, распорядитесь, чтобы Дори охраняли должным образом. И еще я хочу, чтобы на нее составили досье. Все, вплоть до названия зубной пасты, которой она пользуется.

— Когда должно быть готово досье?

— Завтра после полудня. Вы ведь сказали, что послезавтра она выступает в Сан-Франциско?

— Если верить маршруту, напечатанному в журнале. Это последний пункт турне.

— Завтра утром я улетаю. Жду ваших людей в отеле ровно в пять.

— Но они могут не успеть так быстро составить досье.

— Они успеют. Эти горе-сыщики жили за мой счет целых шесть лет. Пора им начать приносить хоть какую-то пользу. Я ими очень недоволен.

Абернати встал, понимая, что надо срочно действовать.

— Мне пора вернуться в офис и заняться делами. У вас будут еще какие-то распоряжения?

— Пожалуй, это все. Нет, погодите. Найдите способ связаться с миссис Зилой Сайферт. Думаю, их с Дэниэлом стоит поискать на яхте в Карибском море: Передайте миссис Сайферт, что мы обнаружили заблудшую овечку.

— Я позабочусь об этом, — кивнул Абернати. — Если возникнут проблемы, свяжусь с вами в Сан-Франциско. До свидания, шейх Эль Каббар.

Закрыв за собой дверь библиотеки, поверенный шейха вздохнул с облегчением. Джеймс Абернати не хотел бы оказаться на месте детективов, прогневавших Филипа Эль Каббара. И, чтобы этого не произошло, ему следует постараться, чтобы досье Пандоры Мадхен было вовремя доставлено в аэропорт. Кстати, ей тоже трудно было позавидовать в сложившейся ситуации. Когда речь заходила о Дори, шейх становился еще агрессивнее и раздражительней, чем обычно.

Откинувшись на спинку кресла, Филип снова разглядывал фотографию Дори на обложке. Боже, какой она стала красавицей! Даже в этом невообразимом рыжем парике Дори буквально приковывала к себе взгляд. Что ж, нетрудно было предположить, что когда-нибудь Пандора Мадхен превратится в обворожительную женщину — даже ребенком она была не лишена обаяния и врожденной грации. Странно, что Филип не заметил этого шесть лет назад, когда Дори постоянно крутилась вокруг него, не сводя с шейха восхищенных глаз. Она была настоящим сорванцом. «Интересно, изменился ли сейчас ее характер, — с невольной улыбкой подумал Филип. — Может быть, как большинство красивых женщин, Дори пришла к выводу, что для успеха в современном обществе достаточно иметь соблазнительное тело и быть посговорчивей?»

Мысль эта почему-то разозлила Филипа. Но настоящая волна ярости накатила на него после того, как, протянув руку, он снова открыл бархатный футляр и посмотрел на медальон.

Филип надел этот амулет на шею Пандоры, когда она была еще ребенком и носилась целый день в окрестностях его дворца в поисках приключений. Каждый житель Седихана знал, что роза, пронзенная шпагой, — эмблема могущественного шейха Эль Каббара, и тот, кто носит на шее подобный медальон, находится во власти шейха и под его защитой. Дори признала его власть над собой. И вот теперь она посмела вернуть его подарок, не потрудившись даже приложить к нему записку с объяснениями.

Филип задумчиво коснулся медальона. Раньше ему казалось, что он может читать мысли Дори, как раскрытую книгу. Но теперь... Эта девушка с обложки уже несколько лет живет в упоении от собственной красоты. А красота имеет свойство разрушать все, чего коснулась. Разве не так было с самим Филипом? Вот и Дори скорее всего сильно изменилась. Поэтому присланный по почте медальон мог означать все, что угодно: приглашение, отказ повиноваться или попытку примирения.

Да, Дори изменилась. Шесть лет — немалый срок. Девушка в рыжем парике, загадочно улыбавшаяся ему с обложки журнала, явно прожила эти годы бурно и разнообразно. Что ж, очень скоро он обо всем узнает. Потому что Дори по-прежнему принадлежит ему, хочется ей этого или нет. Осталось только решить, какое именно место предстоит ей занять в его жизни.

Глава 2

Дори сразу узнала бархатный футляр, лежавший на ее столике в гримерной. Сердце ее учащенно забилось, стало трудно дышать. Так быстро. Впрочем, Филип не привык медлить. Она знала, что реакция последует немедленно, и рассчитывала именно на это.

Она медленно взяла со стола бархатный футляр и открыла его, прекрасно зная, что именно увидит внутри. Поверх медальона лежала небольшая картонная карточка. Дрожащими руками Дори поднесла карточку к глазам и прочитала: «Все не так просто. У служебного входа ждет машина. Не заставляй меня ждать».

Без подписи. В ней просто не было необходимости. И тон записки, и сам почерк были знакомы ей до боли. «Все не так просто»... Смешно! Но почему-то захотелось не смеяться, а плакать. Да, простыми их отношения не назовешь. Никогда в жизни не испытывала Дори такого леденящего душу страха, но вместе с тем, внутри нарастало ощущение безудержной радости. Она увидит его! Боже, великий боже, после шести лет разлуки она увидит Филипа!

Девушка закрыла глаза и глубоко вздохнула. Не стоило так возбуждаться. Она должна убедить Филипа, что стала такой же искушенной в вопросах секса, как те женщины, которых он допускает в свою постель.

Надо собраться. За последние два года Дори прекрасно научилась скрывать свои истинные чувства. Она сумеет обмануть Филипа, если только не придется продолжать весь этот маскарад слишком долго. Так что надо добиться своей цели как можно быстрее.

Открыв глаза, Дори неодобрительно поглядела на собственное отражение в зеркале. Огромные темные глаза на бледном лице. Понравится ли она Филипу? Вообще-то она нравилась многим мужчинам, но вкусы ведь у всех разные. Дори почувствовала панику. Нет, она не позволит себе поддаваться сомнениям. Филип ждет ее. Пора начинать свою игру. Раньше всегда побеждал он, но этот поединок она твердо намерена выиграть сама. В детстве ей просто не хватало целеустремленности. Теперь все будет по-другому. Дори вынула булавки, поддерживающие парик, и сняла нейлоновую шапочку, закрывавшую волосы. Серебристые кудри рассыпались по плечам. Так гораздо лучше. Надо выглядеть как можно соблазнительнее. Долой сомнения! Она быстро прошла в ванную, примыкавшую к гримерной.

Через полчаса Дори снова стояла перед зеркалом. Немного косметики, чтобы подчеркнуть свое очарование, но не слишком толстый слой, чтобы не показаться вульгарной. Квадратный вырез черного бархатного платья заканчивался так низко, что едва прикрывал соски, открывая взглядам полную высокую грудь. Не слишком ли вызывающе? Пожалуй, нет. Ведь она действительно собралась бросить Филипу вызов, который он просто не сможет не принять. Быстро отвернувшись от зеркала, Дори поспешила выйти из гримерной.

Вскоре она уже была в роскошных апартаментах шейха Эль Каббара в отеле «Фермонт». Дори едва успела постучать, как дверь распахнулась, и она увидела Филипа.

На нем были белые брюки и зеленая рубашка под

цвет глаз. Филип нисколько не изменился: все те же высокие скулы, чувственный рот, мускулистое загорелое тело. Дори едва подавила желание немедленно оказаться в его объятиях, уткнуться ему в плечо. Она вдруг почувствовала, что вернулась домой, потому что дом там, где Филип.

— Слава богу, это рыжее безобразие оказалось париком, — произнес шейх. — Абернати боялся, что ты перекрасила волосы. Что ж, ты выглядишь вполне цивилизованно. — Взгляд его скользнул по груди девушки. — Хотя и не слишком скромно.

— Мне можно войти или ты так и будешь разглядывать меня в дверях? — Дори старалась говорить как можно спокойнее. — Здравствуй, Филип. Рада видеть тебя снова.

— Заходи. Если бы ты действительно хотела меня видеть, то не стала бы ждать столько лет.

Шейх сердито отвернулся. Шесть лет назад одна только мысль о том, что она вызвала его гнев, повергла бы Дори в трепет. Ей и сейчас было не по себе.

— На то были свои причины. — Дори последовала за шейхом в гостиную. Положив сумочку на столик у двери, она постаралась улыбнуться как можно обворожительнее.

— Разве недостаточно того, что я здесь?

— Нет, этого недостаточно. — Филип быстро пересек комнату и опустился в плетеное кресло у окна. — И почему, хотел бы я знать, ты вернула мне медальон? Я не беру обратно такие вещи, и тебе это хорошо известно. Этот амулет — не просто драгоценное украшение.

— Да, я знаю, — кивнула в ответ Дори. — Именно поэтому я и вернула его. Ведь он — символ твоего владычества. А мне вдруг разонравилось быть вещью, которой можно владеть. Правда, Филип. Ты пытаешься править в Седихане почти по феодальным законам. Удивительно, что я раньше терпела это, как покорный маленький вассал.

— Но эти законы были выгодны обеим сторонам. Они обеспечивали покорность владыкам и безопасность подданным. И я что-то не припомню, чтобы ты возражала против моего покровительства, когда это было тебе выгодно.

— Я просто была ребенком. — Дори улыбнулась. — Я многого не понимала.

Глаза Филипа сузились.

— На что это ты намекаешь, Дори? Говори лучше прямо, ты никогда не умела притворяться.

— Я никогда не была на это способна. Чувствуешь разницу?

Филип несколько секунд внимательно изучал лицо Дори.

— А ты изменилась, — медленно произнес он.

— Просто выросла и повзрослела, — пожала плечами Дори. — Все мы когда-нибудь взрослеем.

— Дай посмотреть на тебя получше. — Встав с кресла, Филип протянул ей руку.

Дори почувствовала, как от одной только мысли о его прикосновении сердце, точно птица, затрепетало в груди. Только бы Филип не прочел этого в ее глазах. Грациозно покачивая бедрами, девушка вышла на середину комнаты.

— Надеюсь, тебе понравится, — с напускной небрежностью произнесла она. — То маленькое пугало, которое ты знал когда-то, проделало большой путь.

— Ну, знаешь, — задумчиво произнес Филип, — мне было вполне симпатично это маленькое пугало.

Дождавшись, пока она подойдет поближе, Филип вдруг резко дернул ее за руку, и Дори пришлось опуститься на колени перед его креслом. Взгляд шейха возбужденно скользнул вдоль выреза ее платья.

— А впрочем, у тебя есть кое-какие преимущества перед прежней Пандорой.

— Рада слышать. Даже через столько лет трудно расстаться с давними привычками. — Она взглянула в глаза Филипа. — Мне по-прежнему хочется тебе угождать.

— Это что-то новенькое. Я что-то не припомню в прежней Дори желания мне угождать. По-моему, тебя никогда не волновало, доволен я или нет.

— Волновало. — Дори опустила ресницы, пряча взгляд. — И очень.

В голосе шейха неожиданно появились сердитые нотки:

— Смотри на меня, черт побери! Ты напоминаешь провинившуюся наложницу.

Она не спешила поднимать взгляд.

— Ты ведь любишь наложниц, — с легкой иронией сказала Дори. — Я прекрасно помню, как они торопились выскользнуть на рассвете из твоей спальни. Насколько мне известно из газет, ты по-прежнему пользуешься их услугами. Только в Европе таких женщин принято называть иначе. Некоторые твои партнерши вполне миленькие. А как ты находишь меня?

Палец Филипа, гладивший ее запястье, на мгновение замер.

— Хочешь, чтобы я сравнил?

Дори ничего не ответила. У нее перехватило горло, и она не могла издать ни звука.

— Я рассматриваю молчание как знак согласия. Это придает нашей встрече совсем иной смысл, делает ее куда интереснее. Впрочем, с тобой всегда было интересно, Дори. — Филип откинулся на спинку кресла. — Почему бы тебе не встать и не присесть на диван, подальше от меня. Предложения вроде того, что я только что получил, расслабляют. А нам надо обсудить кое-что, прежде чем мы вернемся к этому предложению.

— Если хочешь. — Дори покорно встала и направилась к дивану в другом конце комнаты. — Хотя я думала, что ты привык к подобным предложениям. — Присев на диван, Дори одарила шейха обворожительной улыбкой. — Я ведь не имею в виду серьезную, длительную связь. Мы оба взрослые люди и знаем, чего хотим.

— Знаем? — Филип цинично улыбнулся. — Я знаю, чего хочу, с того самого момента, как ты зашла в гостиную. Но чего хочешь ты, для меня загадка. Кстати, ты расскажешь мне, почему убежала шесть лет назад?

— Я ведь оставила записку.

— Записку, состоявшую из двух фраз: «Не ищи меня. Я вернусь, когда буду готова». Очень драматично. Но не слишком любезно.

На секунду Дори утратила контроль над собой.

— А зачем ты отослал меня в Англию? — вырвалось у нее. — Я ведь говорила, что не хочу ехать. Я говорила... — Усилием воли она заставила себя остановиться и продолжала уже спокойнее: — Впрочем, все это в прошлом и сейчас не имеет никакого значения.

На губах шейха заиграла улыбка.

— А мне на секунду показалось, что имеет, — тихо произнес он. — Что ж, наверное, я ошибся. Так что же ты делала все эти годы?

— Ничего особенного. — Дори отвела взгляд. — Как видишь, мне удалось выжить.

— И ты не хочешь рассказать мне? — В голосе Филипа послышался упрек. — Разве мы не старые друзья, Дори?

— Это совсем не так интересно. Не хочу тебя утомлять.

— Но я буквально сгораю от любопытства. А впрочем, ладно. — Филип махнул рукой. — Остановимся на твоем недавнем прошлом. Поговорим, например, о Луисе Эстевесе.

Глаза Пандоры удивленно расширились.

— О Луи? Но откуда ты?..

— А может быть, ты предпочитаешь рассказать мне о техасском миллионере Бене Дэнфорде? Или о своем теперешнем сожителе Ниле Сейбине?

— Ты наводил обо мне справки? — Дори не верила собственным ушам.

— А как ты думаешь?! Ты украла у меня шесть лет. Должен же я знать, с кем ты их провела.

— Украла! — Дори покачала головой. — Ты просто невыносим! Ведь речь идет о моей жизни.

От возмущения она даже не сразу сообразила, как благоприятно для нее складывается разговор. Теперь ей не придется делать загадочные намеки относительно своего темного прошлого и выставлять в качестве козыря беднягу Нила. Филип сделал за нее ее работу. Благодаря его неуемному инстинкту собственника он уже считает ее легкомысленной потаскушкой. Дори рассмеялась:

— Что касается моих мужчин, все они были весьма забавны. И оказывали мне покровительство. Знаешь, женщине ведь нелегко быть самостоятельной.

— У тебя материальные проблемы? — удивился Филип. — Но мне казалось, что рок-звезды неплохо зарабатывают.

— Да, пока они остаются звездами. — Дори скорчила гримасу. — Век звезды недолог, зато хорошие музыканты, вроде Нила, могут много лет оставаться на плаву. К сожалению, я трачу деньги с той же скоростью, что и зарабатываю их. — Дори погладила натянувшееся на коленях платье. — Люблю красивые вещи. Я не питаю иллюзий по поводу своего таланта. У меня неплохой голосок, чувство стиля и тело, которое выглядит достаточно соблазнительно. В общем, я продержусь еще год-другой, а потом публика найдет себе нового кумира.

— На снимке ты выглядишь весьма живописно. Пожалуй, мне хотелось бы побывать на твоем концерте.

Дори охватила тревога. Этого ни в коем случае нельзя допустить. Ведь на сцене она раскрывает душу.

— Ты же не любишь рок, и я недостаточно хороша, чтобы изменить твое мнение. Ты был бы разочарован.

— У тебя странная самооценка.

— Жизнь, которую я вела, научила меня многому. Пришлось... находить взаимную выгоду в отношениях с мужчинами. — Она окинула Филипа вызывающим взглядом, которому Нил специально обучил ее для общения с репортерами. — Поэтому я и послала тебе медальон. Надеялась, что мы сможем прийти к соглашению. Ты всегда был щедр к женщинам, которые доставляли тебе удовольствие.

Лицо шейха оставалось непроницаемым.

— Ты ведь знаешь, что я избегаю длительных отношений, — сказал он. — Ты была не по годам развитым ребенком, и я не скрывал от тебя свою личную жизнь. С тех пор ничего не изменилось.

Дори рассмеялась:

— А что, в отчете твоих детективов написано, что я ищу длительных отношений? Вовсе нет! Просто так случилось, что после завтрашнего концерта у меня наступает трехмесячный перерыв. И я подумала, что мы могли бы провести это время вместе.

На лице Филипа появилось настороженное выражение.

— Давай сразу расставим все по местам, хорошо? Итак, ты хочешь стать моей любовницей на ближайшие три месяца? Никаких обязательств друг перед другом? И все это взамен на мою... щедрость? — На губах Филипа появилась циничная улыбка.

У Дори пересохло в горле.

— Да, все именно так, — ответила она, не слыша от волнения собственного голоса. — И как тебе эта идея?

— Очень даже нравится. Ты — красивая женщина. К тому же, я всегда любил в своих наложницах деловой подход.

Наложница. Дори словно кольнули ножом под сердце. Однако она заставила себя улыбнуться.

— Я помню и это. Итак, мы договорились?

— Возможно. — Филип был по-прежнему озадачен. — Но в твоем весьма соблазнительном предложении есть одна вещь, от которой мне не по себе.

— Не по себе?

— Может быть, ты задела мою мужскую гордость. Видишь ли, я предпочитаю, чтобы женщина хотя бы делала вид, что хочет меня.

— Не думаю, что тебе придется жаловаться на недостаток эмоций с моей стороны. — Голос ее звучал чуть хрипловато от волнения. Дори надеялась, что Филип припишет это зрелой чувственности, которую она пыталась изобразить. — Думаю, ты знаешь, что я сходила по тебе с ума, когда была ребенком. Трудно было этого не заметить. Надеюсь, наше совместное приключение не только будет забавным, но и поможет мне окончательно расстаться с прошлым.

— Ты говоришь так, словно я сам дьявол во плоти. Если хочешь стать профессиональной наложницей, надо научиться выбирать выражения. — Глаза Филипа сузились. — Хотя, признаюсь, меня возбуждает мысль о том, что я был героем твоих девичьих грез.

Шейх вдруг резко встал, пересек комнату и, прежде чем Дори успела сообразить, что происходит, резко поднял ее с дивана. Глаза его, казавшиеся в начале их разговора такими холодными, теперь буквально горели, и Дори почувствовала, как учащенно забилось ее сердце.

— Так ты мечтала обо мне, Дори? О том, как мы займемся с тобой любовью?

— Да, — едва выдавила она из себя. — Пару раз, не больше.

Сильные руки Филипа гладили плечи Дори, а взгляд скользил по груди девушки.

— Знаешь, когда ты пожимаешь плечами, моему взгляду открываются на мгновение твои соски под вырезом платья. Всего на секунду, но это так соблазнительно! Куда соблазнительнее, чем если бы ты пришла сюда с обнаженной грудью. Ты специально надела это платье?

— Нет. — Голос Дори предательски дрогнул. — Я не знала.

— Зато знал тот, кто моделировал это платье. Что может быть чувственней черного бархата на фоне молочно-белой кожи? Кстати, у тебя потрясающая грудь, — с придыханием произнес шейх. — А кожа почти прозрачная. — Указательный палец Филипа скользил по ключице. — Это напоминает мне женщин на полотнах Делакруа. Но всякой картине требуется надлежащая рама.

Дори глядела на него, словно зачарованная, чувствуя, как возбуждение проникает в каждую клеточку ее тела.

— Рама? — переспросила она.

— Кстати, — усмехнулся шейх, — ведь ты была готова к тому, что платье придется снять. — Он вдруг резко спустил с плеч девушки лиф платья. — Господи, как красиво! — выдохнул Филип, глядя на обнаженную грудь Дори. — Я прикажу сшить тебе черный бархатный халат и расшить его розовыми бриллиантами. — Он чуть наклонил голову, и Дори почувствовала кожей его возбужденное дыхание. — Черный бархат и бриллианты. — Язык его коснулся соска. Он потерся щекой о ее грудь. — Тебе нравится моя идея? Ты придешь в этом наряде в мою спальню?

Дори вся была во власти наслаждения, которое доставляли ей его губы. Она едва различала слова. Все тело пылало. Она чувствовала себя удивительно слабой и в то же время полной жизни, бьющей через край.

— Если хочешь, — вырвалось у нее против воли, — я сделаю для тебя все.

Филип вдруг замер, потом резко поднял голову, прекращая сладкую пытку.

— Как мило с твоей стороны. — В голосе его еще чувствовалось желание, но что-то изменилось. — Ты будешь очень пылкой любовницей, Дори. Наверное, самой страстной из всех, с кем я был близок. — Он быстро натянул лиф платья обратно на плечи девушки и отступил на шаг назад. — Но мне почему-то кажется, что страсть разбудили не поцелуи, а обещание осыпать тебя бриллиантами.

Дори медленно убрала со лба прядь белокурых волос. Она ни за что не должна показать Филипу, какую боль причиняют его слова.

— Я всегда любила бриллианты. Особенно розовые. Но ты, кажется, не очень доволен мною?

Взгляд шейха снова скользил по груди Дори.

— «Недоволен» — не совсем верное слово. Но мне немного не по себе. Ты будишь во мне первобытные инстинкты. Боюсь, что это может стать наваждением. Обычно я не позволяю себе так реагировать на женщин.

— Я знаю. — Не стоит давать Филипу понять, что перед ним вовсе не охотница за деньгами и драгоценностями, а все та же влюбленная в него девчонка. — Я понимаю, что все это не больше, чем банальная интрижка двух знающих себе цену взрослых людей. Скорее всего ты устанешь от меня за три месяца. В любом случае решать тебе. Я вовсе не собираюсь навязываться. — Взяв с конторки черную бархатную сумочку, она вынула и положила на полированную крышку медальон с розой. — Но, пока ты не принял решение, лучше оставь это у себя.

— Предъявляешь ультиматум? — На лице Филипа снова появилось настороженное выражение. — Или владеть твоим телом, или не владеть тобой вообще?

— Я как-то не думала об этом, но, возможно, ты прав. — Она открыла дверь. — Спокойной ночи, Филип.

— Дори!

Остановившись, девушка вопросительно взглянула через плечо.

— Ты ничего не спросила о своем отце. — В словах Филипа сквозила издевка. — Разве тебе не хочется услышать, что он был на седьмом небе от радости, когда я сообщил ему, что ты нашлась?

Дори была уверена, что сумела за долгие годы сжиться со своей болью, но Филипу удалось без труда нащупать ее слабое место. На секунду она почувствовала себя беззащитной и уязвимой, словно никому не нужный ребенок.

— Нет, — дрожащим голосом произнесла Дори, — я не хочу ничего слышать об этом.

Выходя, она так громко хлопнула дверью, что не слышала проклятий, посылаемых ей вслед.

Филип сделал несколько шагов в сторону двери, но

тут же остановился. Руки его непроизвольно сжались в кулаки. Он причинил Дори боль, причем сделал это сознательно, прекрасно понимая, что, если в нынешней блестящей рок-звезде осталось хоть что-то от прежней белокурой девчонки, удар его попадет в цель. Но почему ему вдруг стало не по себе, едва он увидел боль и страдание в глазах Дори? Шейх Эль Каббар никогда особенно не церемонился с женщинами. Но, обидев Дори, он впервые испытал вдруг чувство вины. С того самого момента, как девушка появилась на пороге его номера, Филип понял, что за ее новым фасадом где-то глубоко прячется та, прежняя Дори, которую он знал когда-то. Да, Пандора Мадхен сильно изменилась, но Филип чувствовал каждую секунду присутствие белокурой девчонки, мечтавшей о нем в детстве.

Подойдя к конторке, он взял медальон, оставленный Дори. А что, собственно, странного в том, что за шесть лет она превратилась из сорванца-подростка в соблазнительную женщину, способную возбудить желание? И надо быть настоящим глупцом, чтобы не воспользоваться предложением, которое сделала ему Дори. Вспомнив, как его язык касался нежного шелка ее кожи, Филип вздрогнул от нахлынувшего желания. Захотелось немедленно отправиться в отель, где жила Дори. Люди из агентства «Блэквеллз» давно уже дали ему адрес.

Рука нервно сжала медальон. Филип вспомнил, что Дори живет в своем номере не одна. Согласно досье, не так давно ее любовником стал Нил Сейбин — руководитель тех самых «Немезид», с которыми выступала Пандора. Перед глазами промелькнула чудовищная картина — какой-то мужчина сдирает с плеч Дори бархатное черное платье. Вот она уже в постели, улыбается, протягивает к нему руки... Филип энергично затряс головой, прогоняя от себя видение. Дори будила в нем слишком сильные чувства. Еще немного, и это действительно перейдет в наваждение.

Он понял, что совсем не знает новую, сегодняшнюю Пандору, и от этого ему было не по себе. Досье, составленное сотрудником «Блэквеллз», было немногословно. Детектив по фамилии Денбрук, видимо, считал, что шейха интересуют лишь любовные похождения рок-певицы.

Филип медленно подошел к телефону, стоявшему на столике у дивана, и достал из ящика стола визитную карточку сыщика.

— Денбрук? Филип Эль Каббар. Подробный отчет, о котором мы говорили, требуется мне немедленно. — Он вспомнил, как Дори не хотелось, чтобы он приходил на ее концерт. — И еще мне нужен билет на завтрашний концерт «Немезид». Не очень близко к сцене. — Денбрук попытался что-то возразить, но Филип тут же перебил его: — Я должен быть на этом концерте. Возьмите два билета. Будете меня сопровождать. При любом аншлаге всегда можно что-нибудь придумать.

Положив трубку, Филип присел на диван и рассеянно посмотрел на дверь, не так давно закрывшуюся за Дори. Новый облик девушки пугал его, но Филип уже принял решение. С медальоном или без, она по-прежнему принадлежала ему. Сегодня последняя ночь, которую Дори проведет со своим любовником. А вот ему, пожалуй, предстоит бессонная ночь.

Выступление Пандоры имело огромный успех. С самого начала, когда на зрителей пролился дождь из маргариток, и до конца, когда девушка исчезла в дымке, от нее невозможно было отвести взгляд.

На Дори было некое подобие древнегреческой тоги цвета слоновой кости, тончайший шелк идеально облегал ее безукоризненную фигуру. Когда она запела, ее голос, чувственный и эмоциональный, проникал в душу каждого сидящего в зале.

— Великолепна, не правда ли? — сказал Денбрук, как только в зале зажгли свет. — С меня словно смыли все мои грязные мысли и повесили просушиться на солнышке. Неудивительно, что все билеты на концерт были распроданы за две недели.

— Да, она великолепна, — задумчиво повторил Филип.

Сегодняшняя Дори стала для него откровением. За циничной маской продажной шоу-леди скрывалась настоящая, полная страсти женщина.

Филип поднялся с места.

— Я пойду за кулисы. Позвоните в аэропорт — пусть заправят и подготовят к вылету мой самолет. Ждите меня в машине.

Денбрук неодобрительно посмотрел на шейха:

— Почему бы мне не проводить вас в гримерную мисс Мадхен? В этой толпе опасно разгуливать, имея в кармане такую дорогую безделушку.

— Не волнуйтесь, я в полной безопасности, — улыбнулся Филип. — Каждого из этой толпы Дори, как и вас, повесила просушиться на солнышке.

Ему потребовалось пятнадцать минут, чтобы договориться с охраной «Немезид». Дори отнесли его записку, после чего он смог пройти в гримерную.

Дори все еще была в тунике, доходившей до середины бедер, но уже успела снять свой ужасный рыжий парик и расчесывала волосы. На ней снова была маска светской куртизанки, и теперь, когда Филип знал, что скрывается под этой маской, она злила его еще больше.

— Ты, должно быть, очень устала, — сказал Филип, закрывая за собой дверь. — Концерт произвел на меня потрясающее впечатление.

— Так ты был в зале? — Дори застыла с расческой в руке.

— Да, решил посмотреть, чем ты занимаешься. Возможно, я даже выйду сейчас в фойе и куплю себе футболку с твоим профилем. Прими мои поздравления. Я потрясен.

— Шутишь, наверное. — Дори снова принялась расчесывать волосы. — Я ведь говорила тебе, что не питаю иллюзий относительно своего голоса.

— Вот увидишь, твоя слава будет не такой быстротечной, как тебе кажется.

— Ты говоришь так, потому что ты — не фанат рока. Мои поклонники быстро забывают своих кумиров.

— Разве? — Филип вопросительно посмотрел на девушку. — Что ж, значит, нам пора позаботиться о твоем будущем. Я привез обратно медальон.

— Вот как?

— Ты не оставила футляра, так что мне пришлось заказать новый. Думаю, тебе понравится. — С этими словами Филип поставил перед Пандорой коробочку, которую держал в руке.

Никогда в жизни Дори не приходилось видеть такой красоты. Рисунок из бриллиантов и изумрудов, расположенных симметричными рядами, потряс бы кого угодно. Она не могла отвести глаз.

— Потрясающе, — прошептала Дори, переведя дыхание. — Да ей же цены нет.

— Я купил ее, так что цена у нее есть. — Шейх открыл коробочку. — Надеюсь, тебя не разочарует моя щедрость.

— Не разочарует, — повторила Дори, словно в забытьи. — Значит, ты принял решение?

— Да. — Филип застегнул медальон на шее девушки. — Поразмыслив, я решил, что перспектива владеть тобой именно таким образом вполне меня устраивает. — Глаза его встретились в зеркале с глазами Дори, а руки скользнули под тунику и сжали ее груди. — Ты очень чувственная, — почти холодно заметил он. — Тебе ведь нравится то, что я делаю, не так ли?

— Да, — тихо сказала она. — Очень нравится.

Пальцы Филипа медленно массировали ее соски, разжигая огонь во всем теле.

— Очень хорошо. Потому что в ближайшие три месяца мы будем часто заниматься этим. Кстати, надеюсь, у тебя нет планов, которые нельзя было бы пересмотреть. Я забираю тебя с собой прямо сегодня.

— Сегодня? — В этот момент пальцы Филипа сжали ее сосок, и по телу пробежала сладкая волна. — Так мы уезжаем сегодня? И куда же?

Филип наблюдал за ее отражением в зеркале, сгорая от желания.

— В Седихан, куда же еще. В начале месяца я должен обсудить с Алексом Бен Рашидом условия очередного договора. — Филип продолжал играть с сосками девушки. Затем приподнял обеими руками ее грудь, так что соски проступили через тонкую ткань туники. — Господи, как красиво! — Филип наклонился к уху Дори. — Это ведь возбуждает тебя, правда? А мне нравится смотреть на твое отражение. Пожалуй, я телеграфирую с борта самолета, чтобы в моей спальне установили зеркало на потолке.

Все, что делал Филип, возбуждало ее. Достаточно было находиться с ним в одной комнате, чтобы испытывать наслаждение.

— Мне надо собрать вещи, — сказала она.

— Нет. — Филип сжал губами мочку ее уха. — Я куплю тебе все, что потребуется. Твой паспорт в порядке?

Дори кивнула, не сводя глаз с отражения Филипа в зеркале.

— Прекрасно. Я пошлю Денбрука в отель забрать его. Я хочу, чтобы мы вылетели немедленно. Ты ведь знаешь, я никогда не любил ждать, когда хотел чего-то по-настоящему. — Язык его нащупал чувствительное место за ухом — по телу девушки пробежала дрожь. — А я очень хочу тебя, Дори.

Она знала это. Она чувствовала, как тяжело вздымается грудь Филипа, слышала его хриплое, порывистое дыхание.

— Хорошо. — Дори закрыла глаза. Не все ли равно? Он решил взять ее с собой — это сейчас главное. — Я еду.

— Хочу снова увидеть тебя. — Филип шарил ладонями по спине девушки в поисках застежки. — Вчера, когда ты ушла, я не мог ни о чем думать, кроме твоей великолепной груди на фоне черного бархата. Как мне, черт побери, избавиться от этой штуки? — возмутился Филип.

— Она снимается через голову. — Дори едва слышала собственный голос. Филип хотел ее! Вот она — награда за долгие годы ожидания!

— Так сними же ее скорее! — потребовал Филип.

Веки Пандоры дрогнули.

— Прямо здесь? — спросила она.

— Мне все равно, где. — Глаза Филипа горели страстью. — Даже если бы мы стояли сейчас на сцене перед полным залом, я хотел бы того же.

Дори почувствовала возбуждение в каждой клеточке тела. Пожалуй, она понимала Филипа.

— Филип, но я не... — Ей не дали договорить.

Дверь гримерной распахнулась, и на пороге появился Нил в элегантных брюках и белой рубашке.

— О, простите, — сказал он, увидев Филипа. — Я прервал важный разговор?

— Ничего важного, — ответил Филип.

— Опять не могу застегнуть эти чертовы запонки. Ты поможешь мне, малышка? — обратился Нил к Дори.

— Что-что? — Дори тряхнула головой, возвращаясь к действительности. — Ах да, конечно. Нил, это шейх Эль Каббар. Позволь представить тебе Нила Сейбина, Филип. — Дрожащими руками она стала застегивать запонки. — И зачем ты только носишь их? Каждый раз одна и та же проблема.

— Хочу произвести впечатление, малышка. Мне нравится смотреть, как вытягиваются лица снобов из так называемого приличного общества, когда они видят элегантного рок-музыканта. — Нил протянул Дори вторую руку и, пока она застегивала запонку, обратился к Филипу: — Кстати, вы останетесь на банкет, который они устраивают сегодня в нашу честь?

— Нет, — очень вежливо ответил Филип. — Вынужден вас разочаровать. Более того, Пандора тоже не сможет присутствовать. Она уезжает со мной прямо сейчас. — Развернувшись, Филип направился к выходу. — Жду тебя в машине, Дори.

— Так это и есть он? — задумчиво спросил Нил, как только за Филипом захлопнулась дверь. Он с интересом взглянул на Дори, отмечая про себя, что никогда еще не видел на ее лице столь одухотворенного выражения, даже на сцене. — Это его ты хотела подразнить, устроив маленькое представление? — Губы Нила изогнулись в ироничной улыбке. — Если бы я знал, что мой соперник так страшен в гневе, то не согласился бы помогать тебе. Его сиятельство шейх готов был меня обезглавить.

— В Седихане больше не рубят головы, — с улыбкой произнесла Дори. — Да, Нил, это и есть тот самый мужчина, ради которого я затеяла этот маскарад.

— Так ты уезжаешь навсегда?

— Я ведь с самого начала говорила тебе, что все это для меня временно, что наступит день, когда я захочу уйти. Мне нужно совсем другое. Ты же без проблем найдешь солистку с лучшими вокальными данными.

— Мы будем скучать по тебе. Ты уверена, что не

передумаешь? — Наклонившись к Дори, Нил нежно поцеловал ее в щеку.

— Ну, что же, отправляйся ловить свою мечту, — грустно сказал он. — Я буду держать за тебя кулаки. Пойду пришлю Джин и Поли попрощаться. Мы ведь не можем заставлять ждать его сиятельство, не так ли? — Он помедлил несколько секунд, задумчиво глядя на Дори. — Я ведь помню, как ты пришла к нам впервые. Мы играли тогда в Сохо, в ночном клубе. Тебе было шестнадцать, и ты напоминала голодного цыпленка.

— Я и была голодна, — призналась Дори. — И очень напугана. Господи, как я всего боялась!

— Никогда бы не подумал. Ты казалась весьма самонадеянной юной особой. — Нил снова лукаво улыбнулся. — И как это я не влюбился в тебя по уши?

— Скорее всего тебя оттолкнул мой жуткий голос.

— Не исключено. — Нил провел ладонью по волосам девушки. — У меня ведь всегда был абсолютный слух. И все же возвращайся, если ничего не получится. Удачи тебе, малышка.

— До свидания, Нил. И спасибо тебе. Спасибо за все.

Нил пожал плечами.

— Ты дала мне больше, чем взяла. Не пропадай, давай о себе знать.

Дори молча смотрела ему вслед и горько плакала. Два года они были вместе. Она не ожидала, что будет так трудно прощаться. Дори встала и сняла через голову шелковую тунику.

«Возвращайся, если ничего не получится», — вспомнила она слова Нила. Но все должно получиться. Иначе она просто не сможет жить дальше. Судьба ее зависела теперь от событий ближайших трех месяцев.

Глава 3

— Доброе утро, шейх Эль Каббар. Все сделано, как вы приказали, — доложил дворецкий Рауль Купье, встречая Филипа на пороге его резиденции. Слова звучали привычно и обыденно, словно Филип покинул Седихан вчера, а не шесть месяцев назад. Рауль щелкнул пальцами, и двое юношей в белых ливреях подскочили к лимузину, чтобы взять вещи и отнести их в дом. Сохраняя обычное непроницаемое выражение лица, Рауль обернулся к Дори.

— Позвольте выразить свою радость по поводу вашего прибытия, мисс Мадхен, — вежливо произнес он.

— Спасибо, Рауль, — ответила Дори, пытаясь подавить улыбку.

Трудно было поверить в его искренность. Ведь в прошлом Пандора Мадхен доставляла Раулю одни неприятности. Она испытывала его терпение самыми дерзкими проделками и получала от этого удовольствие. Но ей так и не удалось ни разу вывести Рауля из себя.

— Я взял на себя смелость приказать накрыть к обеду в ваших апартаментах, шейх Эль Каббар, — сообщил дворецкий Филипу, важно шествуя впереди. — Перелет, должно быть, очень утомил вас, мисс Мадхен. Разница во времени обычно сказывается на нервной системе.

— Я отлично себя чувствую, — заверила его Дори. — И вовсе не устала.

— Ты, видимо, забыл, Рауль, что Дори весьма энергичная юная особа, — саркастически заметил Филип, останавливаясь перед дверью в свои комнаты.

— Я не забыл. — На лице Рауля появилось стра-
дальческое выражение. — Мисс Мадхен всегда демон-
стрировала завидную энергию в своих... предприятиях.

— Однако нам действительно лучше отобедать у
меня. Я не так вынослив, как наша очаровательная гос-
тья. И не умею восстанавливать силы так быстро, как
скачущие по сцене рок-звезды, с которыми она привыкла иметь дело.

В последних словах Филипа явно слышался упрек,
и Дори поняла, что именно ревность — причина его
плохого настроения. С тех пор, как Нил Сейбин появился на пороге гримерной Пандоры, он был мрачнее
тучи. Во время перелета Филип почти не обращал на
нее внимание, погрузившись в работу над документа-
ми, которые прихватил с собой. В каком-то смысле так
было даже лучше для Дори. Не требовалось постоянно
быть начеку и изображать из себя светскую потаскуш-
ку. Но теперь надо было как-то отреагировать на кол-
кость Филипа.

— Даже не знаю, что тебе на это сказать. Видел бы
ты нас после двухнедельного гастрольного турне. Мы
буквально валились с ног.

— Представляю себе, — выдавил сквозь зубы Филип,
открывая дверь. — Наверное, тебе очень нравились эти
самые гастрольные турне. Твоя комната рядом. Жду
тебя через сорок пять минут.

Дори скорчила гримаску ему вслед. Да, Филип был
явно расстроен, но пытался казаться высокомерным.

— Как ты считаешь, я должна чувствовать себя ос-
корбленной, Рауль? — поинтересовалась девушка у
дворецкого.

— Затрудняюсь сказать, мисс Мадхен. — В глазах Рауля мелькнула усмешка. — Мы с вами хорошо знаем шейха Эль Каббара, но решать вам.

Рауль распахнул перед Дори резную деревянную дверь.

— Когда мне сообщили из Сан-Франциско, что вы вылетаете, я немедленно дал указания относительно гардероба. Шейх предупредил, что вы стали немного крупнее за последние шесть лет. — Дворецкий окинул взглядом фигуру девушки. — Надеюсь, вещи подойдут.

— Не беспокойся, — улыбнулась Дори. — В детстве я не очень увлекалась нарядами. С тех пор мало что изменилось. Я по-прежнему неприхотлива. Надеюсь, ты не забыл заказать джинсы и сапоги?

— Ну как я мог забыть, — улыбнулся Рауль. — Ведь вы всегда крутились в конюшне или ездили на лошадях шейха. Такое невозможно забыть.

Открыв дверь, дворецкий сделал шаг в сторону, пропуская Дори.

— Если смогу быть чем-то полезен, дайте знать. И еще раз — добро пожаловать домой, мисс Мадхен.

— Спасибо, — произнесла Дори, стараясь не показать своего волнения.

Она действительно была дома. Именно здесь был ее дом, а не в просторном, но унылом коттедже на другом конце деревни, который она занимала когда-то с отцом.

Закрыв дверь, Дори прислонилась к ней спиной. Наконец-то! Получилось! Филип принял ее правила игры. Теперь можно вздохнуть с облегчением. Взгляд ее скользил по комнате. Огромная кровать под балдахином из шелка цвета слоновой кости, роскошные портьеры на окнах, оранжево-красный ковер с восточным орнаментом. А справа от кровати дверь, ведущая в спальню Филипа. Дори хорошо знала эту комнату. Здесь всегда помещали наложниц Филипа. Когда-то давно, в прошлой жизни, она пробралась сюда, снедаемая ревностью. Она знала, что будет больно, но не смогла побороть искушения. Даже сейчас неприятно было об этом вспоминать. Дори приказала себе не думать о прошлом. Ведь теперь в этой комнате будет жить она.

Подойдя к огромному гардеробу, Дори распахнула дверцы. Надо будет поблагодарить Рауля за предусмотрительность. Здесь были не только наряды, в которых ей предстоит соблазнять Филипа, но также много спортивной одежды и даже махровый халат. Сняв его с вешалки, Дори направилась в ванную.

Полчаса спустя она снова стояла перед раскрытым гардеробом, соображая, какой наряд выбрала бы искушенная в любви женщина для интимного обеда со своим новым любовником.

— Желтый шелк. — Голос Филипа заставил ее вздрогнуть от неожиданности.

Дори не слышала, как он вошел. На Филипе были темные брюки и белая рубашка из мягкой ткани, подчеркивающая рельефные мускулы рук и широкие плечи. Темные волосы были влажными после душа, и Дори почувствовала знакомый запах любимого одеколона шейха.

— Я специально велел Раулю заказать для тебя это платье. Мне нравится ощущать под пальцами гладкий шелк.

Дори вдруг вспомнила, как много лет назад Филип

гладил своими сильными и нежными пальцами роскошную гриву Эдипа — своего лучшего скакуна.

— Хорошо. Мне все равно. Это не имеет значения, — равнодушно согласилась она.

— Нет, не все равно. — Филип лукаво улыбнулся. — На этом платье есть «молния». Я вдруг обнаружил, что являюсь ярым приверженцем «молний» на женской одежде. — Лицо его вдруг сделалось мрачным. — Наверное, Нил Сейбин тоже предпочитал легко снимающуюся одежду?

— Не знаю, — пожала плечами Дори. — Мы как-то не обсуждали с ним это.

— Не сомневаюсь, вы были слишком заняты практическими экспериментами в этой области. Поболтать просто не оставалось времени, — ехидно заметил Филип.

— Что-то в этом роде, — пробормотала девушка в ответ на слова Филипа, стараясь изобразить на лице улыбку. — Ты и сам, насколько я заметила, не очень любишь углубляться в дебри теории.

— Это совсем другое дело. Ты ведь принадлежишь мне, а не ему.

— Но через три месяца я и тебе не буду принадлежать, — спокойно напомнила ему Дори. — Ведь наш союз строго ограничен во времени. — Очередная гримаска Дори должна была изображать покорность судьбе. — Так повелел могущественный шейх Эль Каббар.

— Мы еще посмотрим, что будет через три месяца, — угрюмо заметил Филип. — Я не люблю отдавать то, что принадлежит мне. — Он нахмурился. — Мне не понравилось, как ты застегивала ему запонки. Это выглядело слишком интимно.

— Интимно? — удивилась Дори. — Застегивать мужчине запонки? Представляю, что бы ты сказал, если бы я завязывала ему галстук?

— Ты зря иронизируешь. Раньше тебя больше волновали мои чувства.

— Ты придаешь слишком большое значение пустяковой услуге, которую я оказала Нилу.

— Я просто хотел напомнить, что отныне любые услуги, большие и маленькие, могут быть оказаны только мне, — отрубил Филип. — Я не намерен ни с кем делиться.

— Как это эгоистично с твоей стороны. — Дори опустила глаза. — Постараюсь запомнить.

— Если вдруг забудешь, я напомню, — заверил ее шейх. — Не сомневайся в этом, Дори. — Он направился к двери. — Мне надо сделать несколько звонков. У тебя как раз будет время нарядиться. Под платье можешь ничего не надевать. Я не люблю зря тратить время.

Через несколько секунд Дори услышала голос Филипа, говорящего по телефону в спальне. «Сейчас, когда цель почти достигнута, надо быть поуверенней, — думала она. — Иначе можно все испортить». Глубоко вздохнув, Дори развязала пояс махрового халата.

«Быть поуверенней». Она повторяла эти слова, точно молитву. Слуги в белых ливреях подавали на стол. Неужели Филип все еще сердится? Лицо его было непроницаемым. Луна светила так ярко, что в свечах, горящих на столе, не было необходимости. Вся комната была залита золотистым светом. Все было словно во сне.

Филип протянул Дори бокал вина, чистого и такого же золотистого, как заливавший комнату свет.

— Очень вкусно, — сказала Дори и подошла к перилам балкона. — Это из южных виноградников?

— Нет, из северных. Вот уже пять лет, как они тоже приносят хороший урожай. — Шейх встал рядом с ней, устремив взгляд на череду холмов вдалеке. — Года три назад нам удалось отвоевать несколько холмов у пустыни Мадрон.

В голосе его слышалось сдержанное восхищение. Очевидно, эта тема волновала его сейчас не меньше, чем шесть лет назад. Филип всегда был одержим идеей превращения пустынных земель Мадрона в цветущий сад.

— Мне очень хотелось бы увидеть то, о чем ты говоришь, — сказала Дори. — Надо оседлать коня и поехать посмотреть.

— Только не делай этого одна, — нахмурился Филип. — За последнее время поступило несколько сообщений о бандитских налетах на местные деревушки. Наверное, у бандитов лагерь где-то в горах. Это одна из причин, по которой мне необходимо было вернуться. Пора организовать небольшую экспедицию.

— Я поеду с тобой, — вырвалось у Дори, прежде чем она успела прикусить язык.

— Черта с два, — оборвал ее Филип. — У тебя просто талант попадать во всякие передряги. Не думаю, что за шесть лет что-то изменилось.

— Как скажешь, — покорно ответила Дори, решив про себя, что все равно сделает по-своему. — Наверное, мне лучше отправиться на виноградники.

Филип нахмурился еще сильнее:

— Насколько я помню, в свой последний визит туда ты убедила рабочих подавить виноград ногами.

— Я ведь хотела, как лучше. Все отлично провели время. Было очень весело.

— Настолько весело, что на следующее утро люди оказались не в состоянии выйти на работу, — сухо заметил Филип. — А ты выглядела ужаснее всех. Мне пришлось нести тебя домой на руках.

Дори вспомнила, как лежала на сильных и нежных руках Филипа, прильнув щекой к его груди. Шейх шепотом осыпал ее проклятьями, но она их не слышала. Она часто вспоминала этот момент, когда чувствовала себя особенно одинокой и несчастной.

— Танцевать на винограде — добрая традиция виноделов, — возразила она.

— Но не на полузеленом винограде. И не тогда, когда существует пресс. Так что ты не должна приближаться к виноградникам на пушечный выстрел, пока я не найду время поехать туда с тобой.

Дори нахмурилась:

— Мне нельзя гулять по холмам, нельзя поехать на виноградники. Куда же мне можно?

— Разумеется, в постель. — Сильные пальцы Филипа сжали плечи девушки.

Настало время снова вспомнить свою роль. Взяв стакан из рук Филипа, она поставила его рядом со своим на перила балкона и обвила руками его шею. Она будет распутной и желанной. Она доведет Филипа до такого состояния, когда он уже не сможет остановиться, и тогда...

— Тебе известно, что ты ни разу меня не поцеловал?

— Неужели? — Пальцы Филипа гладили желтый шелк платья. — Мне кажется, что нам уже не до поцелуев, хотя мы только начинаем игру. Но если ты настаиваешь...

Губы Филипа коснулись ее губ. Как был сладок этот первый поцелуй! Сладок и нежен. Филип провел языком по нижней губе Дори, и она почувствовала, что тает, растворяясь в нахлынувших на нее ощущениях.

— Я хочу тебя, — прошептала она. — Подари мне себя всего, Филип.

И тут же почувствовала, как напряглось тело шейха. Теперь язык его властно проникал мимо губ девушки. Когда Филип поднял наконец голову, Дори едва могла дышать.

— Я исполню твою просьбу, — хрипло произнес он.

Следующий поцелуй напоминал страстное заклинание. Затем губы Филипа коснулись ее волос, шеи, мочки уха. Колени ее дрожали. Дори все крепче прижималась к Филипу. «Как реагировали на его поцелуи другие женщины? Может быть, не так откровенно? Что, если он догадается обо всем?» — с ужасом думала Дори, а руки тем временем расстегивали пуговицы на рубашке Филипа.

— Дори! — В глазах Филипа горел лукавый огонек. — Тебе не кажется, что нам лучше перейти в комнату? Я не очень люблю выступать перед публикой.

— Ну, здесь куда уединеннее, чем на сцене концертного зала в Сан-Франциско, — рассмеялась Дори и прошла в комнату. — А ведь ты был не прочь заняться со мной любовью на сцене.

— Разница в том, что сейчас мы на моей территории, — пояснил он, закрывая створки окна. Встав прямо за спиной Дори, он быстрым движением расстегнул «молнию» на ее платье. — Я ведь говорил, что ни с кем не собираюсь тебя делить.

Руки его скользнули под желтый шелк.

— Если бы ты знала, что за сладкая пытка — смотреть на тебя и знать, что под платьем ничего нет. — Филип размеренными движениями гладил спину Дори. — Я все время думал о том, какая прелестная картина предстанет взору, когда я освобожу тебя от этого наряда. — Филип спустил лиф платья. — Я думал только о том, как снова почувствую на языке сладкий вкус твоих сосков.

У Дори кружилась голова. Обхватив девушку за талию, Филип поднял ее. Платье упало на пол. Дори почувствовала его возбуждение. Взгляд был затуманен страстью. Тяжело вздохнув, Филип медленно разжал объятия.

— Не сейчас. Хочу посмотреть на тебя еще немного. Этот золотистый свет словно создан для тебя. — Филип отступил на шаг назад, разглядывая Дори. Дори чувствовала, как ей передается возбуждение Филипа. Не сводя с Пандоры глаз, он расстегнул и быстро снял рубашку. — Ты так хороша при лунном свете.

— Тогда тебе лучше поторопиться, пока еще светит луна... Хочешь, я раздену тебя?

— Я сам...

Дори смотрела, как шейх быстро и ловко сбрасывает с себя одежду. Какое у него красивое тело! Сильное и стройное, с упругими ягодицами и мускулистыми ногами опытного наездника. Так и хотелось провести ладонью по мягким темным волосам на его груди.

— Мы не будем торопиться, — прошептал Филип. — Мы будем смаковать каждое движение. Я хочу поиграть с тобой, хочу получше узнать твое тело. Не знаю, надолго ли меня хватит, но я попытаюсь. Не возражаешь?

— Конечно, нет, — еле слышно выдохнула Дори.

Опустившись в кресло, Филип усадил Дори на колени лицом к себе. У нее перехватило дыхание от близости этого сильного красивого тела. Никогда она не чувствовала себя такой живой, такой жадной до наслаждений. Приятно было ощущать нежность и мягкость собственной груди, которая касается упругих мускулов Филипа. Дори потерлась сосками о волосы на груди Филипа и неожиданно для себя испытала такой прилив сладкой боли, что невольно выгнулась и застонала.

— Филип!

— Я знаю. — Он прижимал Дори к себе все крепче и крепче, в глазах его светилась страсть! — Ты не можешь больше терпеть, правда? Я и сам на пределе. Могу взорваться в любой момент. И все же повременим еще немного. Господи, как приятно касаться тебя!

Филип возбуждался все больше. Дори чувствовала это, и восторг наполнял все ее существо.

— Сиди неподвижно. Я хочу поласкать тебя немного. Теперь уже скоро...

Рука его скользила по телу Дори, и с каждым ее движением поднимались горячие волны возбуждения.

Длинные загорелые пальцы приподнимали ее грудь, нежно поглаживая мягкую кожу. Она почувствовала, как почти болезненно сжались мышцы живота, превращая наслаждение в пытку.

— Как красиво, — шептал Филип, а рука его двигалась ниже, к животу Дори. — Ты ведь хочешь меня, не так ли? Но как сильно ты меня хочешь?

Рука его оказалась меж бедер Дори, затем проникла внутрь ее возбужденного тела и стала медленно двигаться, вызывая чувство сладкой боли. Тяжело и прерывисто дыша, Дори уткнулась ему в грудь. Все это было просто невероятно!

— Да, ты хочешь меня очень сильно, я вижу это, — шептал Филип, поглаживая вьющиеся волоски. — Но все же не так сильно, как я хочу тебя. Это невозможно! Я готов растаять, превратиться в струйку дыма. Я не хотел так сильно ни одну женщину. Желание разрывает меня на части.

Даже сквозь дымку наслаждения Дори уловила нотки раздражения в последних словах Филипа. «Бедняжка, — подумала она. — Привык каждую минуту контролировать ситуацию, а теперь попался в ту же золотую паутину, что и она». Словно очнувшись, Дори принялась осыпать поцелуями его плечи.

— Все в порядке, Филип, — едва слышно шептала она. — Все будет хорошо.

Шейх удивленно взглянул на девушку. Раздражение, написанное на его лице, сменилось выражением удивительной нежности.

— Да, милая. Все обязательно будет хорошо, — прошептал он.

Затем он резко встал, подхватил Пандору на руки и понес к кровати. Уложив ее на прохладное шелковое покрывало, Филип опустился сверху. Дори чувствовала кожей жесткие волоски на его бедрах.

— Знаешь, что я вижу, когда смотрю на тебя? — шептал Филип. — Золото. Чистое золото. Золотистая шелковая кожа. Золотистое сияние волос в лунном свете. — Он провел ладонью по волосам Дори, затем опустил две густые пряди ей на грудь, так что открытыми оставались лишь соски. — И среди золота — две маленькие розовые жемчужины. — Он игриво и нежно погладил языком сосок.

Руки Дори сжимали его сильные плечи, а его губы и пальцы продолжали ласкать ее тело.

— Я хочу запомнить твой вкус. — Филип закрыл глаза. — Тебя надо смаковать. Но я слишком голоден. Я умираю от голода. — Руки его оставили грудь Дори и скользнули между ее бедер. — Ты ведь тоже, не так ли?

— Да, я тоже. — Она жаждала утолить свой голод, страстно желала почувствовать Филипа внутри себя.

Он хрипловато рассмеялся.

— Я рад это слышать. — Склонившись над девушкой, шей поцеловал ее страстно и нежно. Затем быстрым движением вошел в нее.

Боль длилась всего секунду, но она пронзила Дори насквозь, повергла ее в шок. Но не она, а Филип вдруг вскрикнул и застыл в ее объятиях.

— Все в порядке. — Дори разжала пальцы, непроизвольно впившиеся в плечи Филипа, и погладила его лицо. — Пожалуйста, все хорошо. — Боль ушла, и Дори могла теперь двигаться, помогая Филипу проникнуть глубже, подстегивая его возбуждение.

— О каком порядке ты говоришь? — Дори снова зашевелилась, и Филип тихонько застонал в ответ. — Не двигайся, это лишает меня способности мыслить.

— А ты не думай ни о чем. — Каждым движением Дори заставляла его проникать все глубже. — Просто люби меня. Я так хочу тебя, Филип. А значит, все, что происходит между нами, правильно. Разве ты этого не чувствуешь? — Голос ее дрожал и срывался от волнения. — Не думай же ни о чем!

— О боже! — В его голосе звучала мольба. — Я не могу, не могу выносить этого больше.

Филип перестал сдерживаться и увлек Дори за собой в неистовом ритме страсти. Пламя охватило их, играя золотистыми языками. Как прекрасно было брать и давать одновременно! Как радостно чувствовать сладкий пожар любви и свершения. Казалось, наслаждение будет длиться вечно...

Голова Филипа лежала у нее на плече. Дори смотрела, как тяжело вздымается его грудь, а по телу пробегают последние волны наслаждения. Она нежно гладила волосы на затылке Филипа, и он чувствовал, что принадлежит ей полностью. После стольких лет разлуки. После стольких усилий держаться от нее подальше. Наконец он принадлежал ей.

Глава 4

— Почему ты пошла на это? — требовательно спросил Филип, поднимая голову. Сердитое выражение его лица моментально вывело Дори из состояния полусонной эйфории. — Скажи мне, зачем ты это сделала?

— Я люблю тебя! Я всегда любила тебя и всегда буду любить!

На лице шейха промелькнуло выражение шока, почти паники.

— И поэтому решила принести мне в жертву свое невинное тело? Как сентиментально!

Филип резко вскочил с постели. Теперь он смотрел на Дори сверху вниз. Тело ее излучало любовь, особенно губы — мягкие и нежные, припухшие от его страстных поцелуев.

— Закройся, — процедил сквозь зубы Филип. — Вечеринка закончена.

Дори знала, что реакция его будет именно такой. Она готовилась к этому, но все равно слишком больно было увидеть искаженное отвращением лицо любимого мужчины. Она покорно натянула на себя шелковое покрывало.

Филип направился в ванную, но на пороге остановился и посмотрел через плечо на Дори.

— Ты не ответила мне.

Она, не моргая, смотрела в горящие гневом глаза шейха.

— Сентиментальность тут ни при чем. Я просто ловко провела тебя.

Выругавшись, Филип захлопнул за собой дверь. Через несколько минут он вернулся в купальном халате светло-серого цвета и уселся рядом с Дори.

— Говори!

— И что же ты хочешь услышать?

— Можешь начать с Луиса Эстевеса, моя невинная маленькая Дори.

— Он играл в поло за бразильскую сборную.

— Лошади, — почти с отвращением произнес Филип. — Я должен был догадаться, что все дело, как всегда, в лошадях. А что скажешь о Дэнфорде?

— У него ранчо в Техасе. — Дори лукаво улыбнулась.

— И снова лошади! А как же Сейбин? Не отвечай. Попробую угадать. В свободное от рок-карьеры время он — жокей на скачках?

Дори покачала головой.

— Просто Нил — мой добрый приятель. Он согласился помочь мне осуществить мой план.

— Ах да, план! Поговорим теперь об этом самом плане. И давно все эти гениальные идеи родились в твоей безмозглой головке?

— С того самого дня, как я сбежала от твоего лондонского агента, — призналась Дори. — Я знала, что я сделаю. Но только тогда еще не понимала, как именно. Самым трудным оказалось ожидание. Ведь прошло несколько лет, прежде чем настало время действовать.

— Ну зато, начав, ты быстро наверстала упущенное. — Филип, не отрываясь, смотрел на Дори. — Вот только я не люблю, когда мне лгут.

— Я знаю. Но я не могла больше ничего придумать.

— И ты решила притвориться меркантильной маленькой дрянью, почти что проституткой? Позволь поздравить тебя, Дори. Тебе удалась эта роль.

Дори болезненно поморщилась.

— Я сделала то, что должна была сделать. Я знала, что в свою жизнь ты пускаешь только опытных и искушенных женщин. А потому решила, что, если притворюсь охотницей за красивой жизнью, ты будешь чувствовать себя в безопасности.

— В безопасности? — изумился он.

— Да, в безопасности. Ты ведь боишься меня, Филип Эль Каббар. Всегда боялся. Боялся так сильно, что решил сослать меня в Англию.

— Я отправил тебя в Англию, потому что тебе исполнилось пятнадцать, и ты начала превращаться в беспутную девицу.

Дори покачала головой.

— Ты послал меня в Англию, потому что понял, что я тебе не совсем безразлична. — Понизив голос почти до шепота, Дори продолжала: — Возможно, ты даже любил меня. Думаю, что так и было. Все эти чувства показались тебе слишком сильными, не так ли? Ты ведь не можешь позволить себе любовь к женщине. Ты используешь женщин, но не позволяешь себе их любить.

Филип смотрел на нее с непроницаемым выражением лица.

— Если ты все это знала, то стоило ли тратить время на обольщение такого бессердечного распутника?

— Возможно, не стоило. — В глазах Дори блеснули слезы. — Но у меня не было выбора. Я люблю тебя.

— Прекрати, пожалуйста! Это не любовь. Просто еще ребенком ты вбила себе в голову дурацкую идею и не можешь с ней расстаться. Ты всегда была самой упрямой особой из всех, кого я знал. А все, что произошло сегодня, было лишь приятным эпизодом.

— Черта с два! Это было не просто приятно. Это было прекрасно, неповторимо! И не смей со мной спорить!

— Наконец-то я вижу настоящую Пандору! И как тебе удавалось так долго скрывать свой несносный характер под личиной готовой на все наложницы?

— С трудом. Просто я знала, что не должна выдавать раньше времени своих истинных чувств. Но мы говорим сейчас не об этом. То, что произошло между нами, было прекрасно. Признай же это, Филип!

— Признаю, — тихо произнес он. — Нам было очень хорошо вдвоем. Но это вовсе ничего не значит. Любовь и секс — не одно и то же, Дори.

— Я всегда понимала это. Всегда чувствовала разницу. И я реально смотрю на вещи. Это ты прожил всю жизнь в темных очках. Пора наконец снять их. Мы и так потеряли слишком много времени. А мы ведь не молодеем, Филип.

Ему едва удалось подавить улыбку. Лежащая перед ним Дори, укрытая до подбородка покрывалом, напоминала девчонку-подростка. И куда только делся его гнев? Ведь секунду назад он готов был растерзать ее. Почему ему никогда не удавалось долго сердиться на Пандору Мадхен?

— А тебе не приходило в голову, что это ты смотришь на сложившуюся ситуацию через очки — только не темные, а розовые?

— Не приходило. И сейчас я просто не могу позволить сомнениям одолеть меня. Иначе выходит, что все эти годы я старалась впустую. — Дори медленно покачала головой. — Я слишком хорошо знаю тебя, чтобы поверить в это.

— Но ты знаешь обо мне далеко не все, — грубо оборвал ее Филип. Он резко встал и начал ходить по комнате, засунув руки в карманы халата. — Вернее, ты не знаешь обо мне ничего. Ты просто сочинила меня.

— Я знаю о тебе все, — отчетливо произнесла Дори. — Абсолютно все. Я вела свое расследование с двенадцати лет. После того, как ты спас меня на базаре от толпы. Хочешь знать, что я узнала о тебе, Филип?

— Я заинтригован.

— Я узнала, что ты — самолюбивый, высокомерный, чувственный и темпераментный мужчина, привыкший к тому, что все твои желания выполняются быстро и беспрекословно, — тихо произнесла Дори. — Но еще я узнала, что шейх Эль Каббар — умный, образованный и справедливый правитель.

Глаза Филипа сузились.

— Продолжай! — велел он.

Дори нервно облизала губы.

— Ты отличный наездник и любишь животных. Ты трудно сходишься с людьми, но верен тем немногим, кого считаешь друзьями. Однако ты никогда не позволяешь женщинам выступать в этом качестве. Думаю, мне удалось подобраться к тебе ближе всех. — Последовала пауза. — Впрочем, имея такую мать, как Елена Лаваде, другой на твоем месте вообще стал бы женоненавистником.

— Мне не нравится, когда меня исследуют столь подробно, — угрожающе произнес он.

— В какой-то мере, ты прав, — сказала Дори. — Но ведь и ты нанял сыщиков, чтобы следить за мной? У меня была более уважительная причина. Я знала, что мне предстоит борьба, и хотела запастись оружием.

— А теперь тебе кажется, что ты проникла в тайны

моей извращенной психологии? Может, тебе стоило стать психоаналитиком, а не рок-звездой?

Дори сделала вид, что не замечает его сарказма. Она предвидела, что Филип будет защищаться, когда речь зайдет о его матери.

— Я знаю, что тебе пришлось пережить, — тихо произнесла Дори. — Твоя мать была очень красивой и очень амбициозной женщиной. Но она была профессиональной наложницей и сделала все, чтобы стать любовницей твоего отца. Это был лишь первый шаг на пути к осуществлению мечты. Когда ей удалось забеременеть от шейха, она потребовала, чтобы твой отец женился на ней и выделил ей огромное содержание. Елена знала, что Эль Каббар мечтает о сыне, и грозила ему абортом, если он не уступит ее требованиям. — Дори покачала головой. — Вот тут-то она просчиталась. Кстати, я слышала, что ты очень похож на своего отца. Он отказался платить шантажистке. Вместо этого, женившись на Елене, он запер ее на женской половине до твоего рождения. Елена была в ярости. Она возненавидела твоего отца и поклялась отомстить. Через несколько недель после твоего рождения ей удалось убежать, забрав тебя с собой. Шейху не удавалось разыскать вас целых восемь лет. Затем он развелся с Еленой и забрал тебя в Седихан. — Дори взглянула прямо в глаза Филипу. — Не знаю, что она делала с тобой все эти годы, но, если верить историям, которые рассказывают на базаре, тебе не позавидуешь. Эта безумная вымещала свою ненависть к шейху на тебе. Я бы убила ее, если бы встретила.

— Неужели? — Филип с интересом взглянул на девушку. — А впрочем, ты всегда защищала тех, кого считала несчастными. Но все это было много лет назад. Теперь я не нуждаюсь в жалости. И ты не нужна мне, Пандора Мадхен.

Сердце ее пронзила острая боль.

— Ошибаешься, — твердо произнесла Дори. — Я нужна тебе. Просто ты еще не понял этого. Но я заставлю тебя понять.

— У тебя не будет такой возможности, — отрезал Филип тоном, не терпящим возражений. — Я отсылаю тебя обратно в Штаты.

— Я никуда не поеду. Я знала, что ты отреагируешь на все это именно так, и приняла меры предосторожности.

— Не знаю, что ты имеешь в виду, но тут я хозяин и могу сделать с тобой все, что захочу.

— Но ты ничего со мной не сделаешь. Я воспользовалась главным средством из арсенала твоей матери.

— О чем это ты? — насторожился Филип.

— Вполне возможно, что я уже беременна твоим ребенком, — робко произнесла Дори.

Филип побледнел, словно его ударили в солнечное сплетение, но быстро овладел собой.

— Шантаж — отвратительный способ решить свои проблемы, — почти равнодушно произнес шейх.

— Согласна с тобой, но я вовсе не претендую на брак. Можешь связаться с Абернати. Он скажет тебе, что получил по почте документ, освобождающий тебя от всякой юридической ответственности за последствия того, что здесь произошло. Я могу попросить Нила дать ребенку твое имя. Думаю, он не будет возражать.

— Черта с два! — Филип произнес это с такой яростью, что Дори вздрогнула от неожиданности. — Путь твой приятель попробует сделать собственного ребенка. Моего он не получит.

— Никто и не заявляет права на твоего ребенка, — успокоила его Дори. — Скорее всего никакого ребенка нет и не будет. Просто я хотела довести до твоего сведения, что это вполне возможно. Я ведь знаю, как ты относишься к тому, что считаешь своим, вот и рассчитала, что ты предпочтешь не отсылать меня, пока не убедишься в том или ином исходе нашей близости. Значит, в моем распоряжении несколько недель.

— Ты сильно рискуешь, — тихо произнес Филип. — Ты можешь потерять все. Остаться одна с незаконнорожденным ребенком на руках, потому что я не собираюсь на тебе жениться.

— Знаю. Я ведь уже сказала, что не стану тебя заставлять. Просто хочу быть с тобой. Хочу стать частью твоей жизни. Этого достаточно. К тому же, если ты решишь прогнать меня, у меня останется ребенок. Твой ребенок. И это будет чудесно. Я всю жизнь была одна.

Филип непроизвольно сделал шаг вперед.

— Пандора... — Он резко остановился.

Гнев и раздражение боролись в нем с нежностью, которую он всегда испытывал к Дори. Но он решил не поддаваться слабости.

— Я не позволю собой манипулировать. Если хочешь играть в светскую леди, найди другого дурака, чтобы оплачивал твои прихоти.

— Но я хочу быть твоей женщиной, — тихо сказала она. — И твоим другом. И матерью твоего ребенка.

Я хочу стать для тебя всем, Филип. Я не собираюсь продавать тебе свое тело. Я хочу дарить всю себя без остатка.

Филип растерянно провел ладонью по волосам.

— Ты же знаешь, Дори, что я сделаю тебе больно.

— Может быть, — девушка пожала плечами. — Но как бы больно ты мне ни сделал, я никогда ни о чем не пожалею.

— Уезжай, Пандора. — Филип старался говорить жестко, но в голосе его слышалась мольба. — Мысль о том, что я причиню тебе боль, кажется мне отвратительной.

— Значит, у меня есть шанс.

— Тогда пеняй на себя. Я тебя предупредил. Для меня ты — лишь наложница, которую я купил в Сан-Франциско в обмен на красивую побрякушку. Я буду пользоваться твоим телом, когда захочу. И не рассчитывай ни на что другое.

— Я ничего и не жду. — Дори смотрела на него огромными влажными глазами. — Я могу только надеяться.

— Господи! Что же мне делать с тобой?

— Зная тебя, я не сомневаюсь — ты будешь делать со мной то, что подскажет твоя богатая фантазия.

— Ты права, — сердито ответил Филип. — И начнем прямо сейчас. Я привык спать один.

— Конечно. Я сейчас уйду.

Филип знаком приказал ей лечь обратно.

— Уйдешь завтра. Я передумал.

— Ты уверен? — спросила Дори. — Я могла бы...

— Заткнись, — отрезал Филип.

— Что ж, будь по-твоему. — Дори с удовольствием

улеглась поудобнее на огромной кровати, довольная таким поворотом событий. — Если передумаешь, всегда успеешь меня прогнать.

— Можешь не сомневаться, — холодно ответил Филип. Развязав пояс, он снял купальный халат и лег рядом с ней. — Давай спать.

Дори и так почти спала. Физическое и эмоциональное напряжение последних часов подействовало на нее подобно наркотику.

— Спасибо, что позволил мне остаться, — прошептала она.

— Это только сегодня, — прорычал Филип. — Не придавай этому особого значения.

— Как скажешь, — сонно пробормотала Дори.

Филип лежал на спине, глядя в потолок. Кровать была очень широкой, и, даже протянув руку, он не мог бы коснуться Пандоры. И все же ему казалось, что он продолжает ощущать всем телом ее нежную плоть.

— Тебе было больно? — тихо спросил Филип.

— Что? — Дори напрасно пыталась сохранить ясность мысли — ее неодолимо клонило в сон. — Не очень.

— Ты сама виновата. Я не слишком нежный любовник, но не люблю причинять женщинам боль. Если бы ты что-то соображала, то предупредила бы меня... — Филип осекся, понимая, что его тираду никто не слышит. По ровному, глубокому дыханию Дори можно было безошибочно определить, что она крепко спит.

— Черт! Вполне в духе этой непутевой девчонки — заснуть вот так, оставив его наедине со своим отчаянием.

Он только что насладился ее телом, но был по-прежнему возбужден. Тяжело вздохнув, Филип закрыл глаза, заставляя себя не думать о ней...

3 – 1626

Филип вошел в нее очень медленно и осторожно. Выплывая из глубин сна, Дори почувствовала, как он медленно движется в такт дыханию. Это было прекрасно, совсем не так, как в первый раз. Филип двигался, наслаждаясь каждой секундой их близости. Дори попыталась раскрыть глаза.

— Филип...

— Тише... Я пролежал рядом всю ночь, борясь с искушением, но ничего не мог с собой поделать.

— Мне так хорошо, — сонно пробормотала Дори.

Филип усмехнулся и нежно поцеловал закрытые глаза Дори. Он двигался все быстрее, дышал все чаще. Дори чувствовала, как нарастает его возбуждение. Ей захотелось помочь, но Филип властно сжал ладонями ее бедра, словно запрещая двигаться.

— Не надо. Я не хочу снова причинить тебе боль.

— Делай все, что хочешь, Филип. Я хочу тебя.

Он замер, услышав эти слова. Губы его нежно коснулись синей жилки на виске Дори.

— Мне кажется, единственное, чего ты хочешь сейчас, это чтобы тебе дали поспать.

Несколькими быстрыми и резкими движениями Филип достиг пика возбуждения, нараставшего последние несколько часов. На этот раз он не стал отодвигаться. Вместо этого Филип уложил голову девушки себе на плечо, рассыпав по груди ее белокурые локоны. Дыхание постепенно выровнялось, сердце перестало бешено стучать.

— Прости меня, Дори. — В голосе его слышалось отвращение к себе.

— Тебе стало легче?

— О, да.

— Все остальное не имеет значения. — Дори тихонько поцеловала его в плечо. — Мне нравится помогать тебе. Спокойной ночи, Филип.

— Спокойной ночи, Дори.

Но Дори не слышала его. Она снова погрузилась в сладкий сон.

Филип уснуть не мог. Он чувствовал, как в душе рождается новое, незнакомое ему состояние. Нежность... Господи, он никогда еще не испытывал ни к кому такой трогательной нежности. Это чувство было куда опаснее страсти. Оно может изменить его жизнь, а этого допускать нельзя. Нет, он будет жить так, как привык.

Дори будет принадлежать ему, но на тех условиях, которые предложит он сам. Вот только пока что Филип не имел ни малейшего понятия, какими именно будут эти условия. Одно было очевидно — не стоило заниматься с нею любовью в ближайшее время. Филип слишком сильно хотел Дори, и это могло дать ей власть над ним. Надо держаться от нее подальше, пока не пройдет безумие. Оно не продлится долго. Ни одной женщине еще не удавалось завладеть его чувствами больше чем на пару недель. Размышляя об этом, Филип непроизвольно прижимал к себе Дори, словно защищая от всех невзгод на свете.

Утром Дори проснулась в объятиях Филипа. Сероватый предрассветный свет падал на лицо шейха. Она никогда еще не видела его так близко. Филип выглядел усталым. Впалые щеки, тени под глазами. Сейчас ему можно было дать все его тридцать восемь лет. Дори почувствовала, как нежность к нему наполняет все ее существо. Дори поцеловала Филипа в щеку и неохотно выскользнула из его объятий, заботливо укрыв его покрывалом.

Не стоило торопить события. Она дала шейху Эль Каббару достаточно пищи для размышлений. Наверное, это ее вина, что он выглядит таким усталым. Бедный Филип. Ему вряд ли понравится то беспокойство, которое Дори внесет в его жизнь. Он не понимает, что она действует ради его же блага. Но Дори намерена доказать ему это. А пока надо дать ему возможность привыкнуть к их новым отношениям.

Восход окрасил небо в яркие багровые тона. По пути к конюшням Дори остановилась, чтобы полюбоваться этими красками, вдохнуть запах земли и травы, подставить щеки прохладному утреннему ветру. Светлая радость переполняла все ее существо. Господи, как приятно жить на свете в такое утро!

Она приготовилась продолжить свой путь, как вдруг услышала тихое ржание. Дори взглянула в сторону огороженного загона. Эдип! Вороной жеребец с роскошной гривой, блестящей в первых лучах солнца, просто не мог быть никем другим! Дори перемахнула через забор и оказалась рядом с конем. Как он был красив! Изящные линии, рельефно выступающие мускулы, необузданная гордость в глазах.

— Здравствуй, мой мальчик, — нежно произнесла Дори. — Скучал по мне иногда? Я очень по тебе соскучилась. Давно не виделись, правда? Я познакомилась за это время с множеством лошадок, но никто не мог сравниться с тобой.

Эдип смотрел прямо на Дори, но по глазам его невозможно было понять, помнит он ее или нет. Эдип всегда был непредсказуем и не спешил проявлять свои привязанности. Чем-то он напоминал ей Филипа. Он словно бросал окружающим вызов.

— Что ты делаешь здесь один вместо того, чтобы отдыхать в своем уютном стойле? — Дори протянула руку и погладила Эдипа по носу. Конь смотрел на нее так, словно понимал каждое слово. — Но ты ведь никогда не любил скучать под крышей, правда? Так же, как и я. — Дори медленно подошла к Эдипу сбоку, провела рукой по пышной гриве. — Что скажешь, если мы прогуляемся с тобой прямо сейчас?

Опершись одной рукой об изгородь, она быстро вскочила на спину коня. Эдип тут же взвился на дыбы, но через несколько секунд успокоился.

— Решил испытать меня? — рассмеялась Дори. — Ну что ж, а теперь поехали!

Они начали с быстрой рыси, потом перешли на галоп и поскакали по кругу вдоль изгороди. Дори пригнулась к гриве коня, подзадоривая его своими выкриками. Ветер трепал ее волосы, Эдип горячился все больше и больше. Утро началось великолепно!

— Пандора!

От неожиданности она вздрогнула. О господи! Филип. Она скосила глаза в его сторону. Мирный тон шейха не обманул ее — Филип был в ярости. Он был одет в костюм для верховой езды, волосы были слегка растрепаны. Это казалось весьма необычным для человека, который ухаживал за собой так тщательно, как Филип Эль Каббар, и не предвещало ничего хорошего. Должно быть, проснувшись, он сразу догадался, где Дори, и поспешил за ней, чтобы поймать на месте преступления. Дори подъехала к изгороди.

— Доброе утро, Филип. Эдип выглядит великолепно. И скачет так, будто ему по-прежнему два года.

— Но ему не два, а восемь, — сердито сказал Филип. — И за эти годы характер его не улучшился. Кстати, он бегает тут с утра пораньше вовсе не потому, что его решили выпустить погулять. Просто последнее время у него появилась привычка сшибать копытом конюха, когда тот приходит в стойло дать ему корм. — Глаза Филипа метали молнии. — А ты ездишь на нем без седла!

— Но он любит меня, — с вызовом заявила Дори. — Всегда любил. Может, у него и несносный характер, но я знаю, как им управлять. — Она посмотрела прямо в глаза шейху. — Он напоминает мне тебя.

— Маленькая негодница, — тихо произнес он. Филип осекся и протянул Дори руку, помогая спешиться. — Ни одна женщина еще не сравнивала меня с жеребцом. Тем более с таким необузданным.

— Он напоминает мне тебя лишь иногда, — с невинным видом произнесла Дори. — Все остальное время Эдип вполне переносим.

Руки Филипа сжали талию девушки.

— Ты стала слишком нахальной за эти годы, Дори. Раньше ты не осмелилась бы меня оскорбить.

— Не стоило церемониться с тобой и раньше. Может, тогда ты не был бы таким высокомерным.

— Я никогда не был высокомерным. Просто я всегда прав. — Он похлопал Эдипа по холке, и конь отбежал от изгороди. — Как, например, сейчас.

— Если Эдип стал неуправляемым, зачем ты держишь его здесь?

Филип взял ее под локоть и повел прочь из загона.

— Наверное, это моя прихоть, — признался он. — Не стану отрицать, я действительно чувствую, что мы с ним чем-то похожи друг на друга. Но ты держись-ка от него подальше.

— Но я вполне в состоянии с ним справиться! — упрямо сказала она. — Я понимаю его!

— Так же, как меня. Не обольщайся. Мы оба способны на поступки, которых ты от нас не ожидаешь.

— Не верю...

— Пандора! Если я еще раз увижу тебя рядом с Эдипом, я тут же уберу его отсюда.

— Ты не сделаешь этого! После стольких лет! Его место здесь.

— Вот посмотришь! — ответил Филип. — Если я не могу отправить отсюда тебя, то ничто не помешает мне избавиться от Эдипа.

— Ты правда сделаешь это?

— Попробуй — узнаешь!

Дори, насупившись, отвела взгляд.

— Ты ведь знаешь, что я не стану рисковать.

— Мудрая женщина. Хорошо бы ты была такой же предусмотрительной, когда речь идет о твоем благе.

— Это совсем другое дело.

— И тебе не хочется об этом говорить, — закончил за нее Филип. — Хорошо, моя маленькая устрица, залезай обратно в свою раковину. Мы закроем пока эту тему. — Они молча подошли к конюшне. — Не просто вскочить на лошадь без седла. Я вижу, ты не растеряла своих навыков, прыгая по сцене и распевая песенки.

— Я каталась верхом каждое утро, — ответила Дори. — Концерты ведь только по вечерам. И еще я заочно обучалась в колледже. Я сказала себе: лучше потерпеть, чем остаться необразованной. Утро в конюшне было моей наградой за эти чертовы часы учебы. Постепенно я привыкла к этому расписанию, и все пошло, как по маслу.

— То, чего тебе хотелось, — это лошади?

— Так было всегда. Ты ведь знаешь. Я всегда мечтала работать с лошадьми.

— Значит, свет софитов оставил тебя равнодушной? — Филип пристально посмотрел на нее.

Дори покачала головой:

— Мне никогда не нравилось выступать. Но я научилась мириться с этим, чтобы не голодать.

— Ты голодала?

— Конечно. Мне же было пятнадцать лет. Без опыта работы, с четырьмя фунтами и несколькими пенсами в кошельке. Денег хватило недели на две после побега от Абернати.

— А потом?

— Я справилась, — уклончиво ответила Дори. — Тебе ни к чему слышать все эти ужасные истории.

— Ни к чему? — угрюмо переспросил Филип. — Но ведь с тобой могло случиться все, что угодно!

— Мне повезло. Я приобрела немало друзей. Это ведь очень важно. Куда легче жить с пустым желудком, чем с пустой душой.

У Филипа вдруг перехватило горло.

— Я рад, что у тебя есть друзья. Ты собираешься вернуться к ним?

Дори стало вдруг больно. Филип задал этот вопрос таким тоном, словно это не имеет к нему никакого отношения.

— Надеюсь, что нет, — ответила она. — Надеюсь, что останусь с тобой в Седихане и проведу здесь остаток дней. — Она лукаво улыбнулась. — Надеюсь уговорить тебя создать национальную сборную по выездке и завоевать «золото»!

— Я могу позвонить кому надо, замолвить за тебя словечко. Но я не изменю решения, принятого вчера ночью.

— Я тоже, — тихо сказала Дори. — Замкнутый круг.

— Это ненадолго. — Улыбка Филипа вдруг показалась Дори почти зловещей. — Я намереваюсь сделать твое пребывание здесь таким, что ты будешь рада сбежать.

— Посмотрим, — ответила она дерзко.

— Я уезжаю по делам. Только приму душ и переоденусь.

— Можно мне поехать с тобой, Филип?

— Нет, — твердо отрезал шейх. — Нельзя. Единственное, что тебе можно, это вернуться в свои апартаменты, красить там ногти или валяться в бассейне, как и подобает наложнице.

Похоже, Филип не шутил, давая понять, что собирается обращаться с нею, как с наемной любовницей.

— Ладно. Я найду, чем заняться.

— Этого-то я и боюсь. Но что бы это ни было, будь

любезна освободиться к обеду. Я жду сегодня гостей и хочу, чтобы ты была хозяйкой вечера. — Голос его звучал почти злобно. — Моим гостям приятно будет отобедать в обществе рок-звезды. Наверное, тебе лучше надеть свой оранжевый парик.

— Что ж, может быть, и надену. А что, мы ожидаем какую-нибудь важную персону, на которую я должна произвести впечатление?

— Все зависит от того, кого ты считаешь важной персоной. — Филип выдержал эффектную паузу. — Я пригласил отобедать старого доброго доктора Мадхена.

Дори застыла.

— Моего отца?

— Я подумал, что вам двоим надо бы встретиться после стольких лет разлуки. — Филип натянуто улыбнулся. — Ты не согласна?

— Да-да, конечно. Ты правильно сделал, что пригласил его.

Это должно было рано или поздно случиться. Надо быть готовой к тому, что Филип попытается использовать любое слабое место в ее обороне.

Филип вдруг взял Дори за руку.

— Это ведь причинит тебе боль, Дори, — тихо произнес он. — Мне не хотелось бы этого. Сдайся. Скажи, что уедешь из Седихана, и я отменю этот дурацкий обед.

— Снова бежать от самой себя? Последний раз я попыталась это сделать в пятнадцать лет. Тогда ты был не очень доволен. Так что же изменилось сейчас?

— Черт побери, Пандора, я не... — Не договорив, он отпустил ее руку и направился к дому. — Обед в восемь, — сообщил он, оглянувшись на пороге. Тяжелая железная дверь с шумом захлопнулась.

Глава 5

— Я думал, ты шутишь.

Прислонившись к косяку двери, отделявшей спальню Дори от его комнаты, Филип с напускным равнодушием разглядывал ее наряд. Туника из черного бархата доходила до середины бедер. Правое плечо оставалось открытым. Стройные ноги Дори, затянутые в черные чулки, были обуты в открытые босоножки на высоких каблуках. Эффект был сногсшибательным.

— Я действительно шутила. — Дори коснулась рыжего парика. — Но потом решила, что такой наряд вполне подходит к случаю. Я привыкла показывать публике именно то, что она хочет увидеть.

— И ты думаешь, что этот костюм — то, что надо?

— Твои гости получат именно то, чего ожидали. — Она посмотрела в лицо Филипу. — Или тебе будет стыдно сидеть со мной за одним столом?

— Нет, не будет. — Филип подошел к Дори. — Но ты уверена, что не хочешь надеть что-нибудь менее экстравагантное?

Дори тряхнула головой так энергично, что рыжие кудряшки заплясали, подобно языкам пламени.

— Ни за что. Этот имидж — часть меня, и мне нечего стыдиться.

— Тогда не пройти ли нам в гостиную встретить наших гостей. — С этими словами Филип протянул ей руку.

— С удовольствием, — ответила Дори.

Гости шейха уже собрались в гостиной. Дори насчитала не меньше пятнадцати человек. Отца среди них не было. Рауль грациозно двигался по залу, предлагая напитки. Все разговоры затихли, как только они с Филипом появились на пороге. Дори сразу же заметила, что ее внешний вид удивляет и одновременно забавляет большинство собравшихся. Она невольно поежилась, и тут же почувствовала, как Филип сжал ее локоть.

— Спокойно, — тихо произнес он. — Даже в этом дурацком парике ты все равно самая красивая женщина в этой гостиной. Не забывай об этом.

В его словах Дори уловила теплоту и нежность.

— Хорошо, — ответила она. — Я постараюсь.

— Тогда иди встречай гостей. Хочу поскорее представить тебя жене посла. Она всегда была напыщенной старой стервой.

Филип вел себя подчеркнуто внимательно. Он представил ее по очереди всем гостям, все время держа под локоть, словно бы демонстрируя, что девушка принадлежит ему и находится под его защитой. Только убедившись, что у Дори не возникнет проблем, Филип позволил себе покинуть ее ради беседы с одним из своих деловых партнеров. И даже тогда Дори чувствовала время от времени его взгляд, придававший ей уверенности в себе.

Она мило болтала с молодым симпатичным служащим нефтяной компании, когда услышала за спиной хорошо знакомый голос.

— Добрый вечер, Пандора.

Дори неподвижно застыла на месте. Карл Мадхен родился в Мюнхене и за долгие годы, проведенные за пределами Германии, так и не смог избавиться от легкого немецкого акцента.

— Добрый вечер, отец. — Повернувшись к Карлу, Дори вежливо протянула ему руку. — Приятно увидеть тебя после стольких лет.

Карл Мадхен почти не изменился, разве что коренастая фигура доктора стала чуть плотнее, а в светлых волосах засеребрилась седина. Серые глаза его были такими же холодными и далекими, как горные вершины.

Доктор Мадхен окинул дочь равнодушным взглядом.

— А ты не изменилась.

Дори попыталась улыбнуться.

— Я знала, что ты скажешь это. Но на самом деле я совсем другая. — Она дерзко, почти с вызовом посмотрела ему в глаза. — Ты удивился, когда Филип сообщил тебе, что я здесь?

Карл поднес к губам бокал белого вина.

— Ни капельки. Я всегда знал, что рано или поздно это произойдет. Ты положила глаз на шейха в тот самый день, когда мы прибыли в Седихан.

— И ты не возражаешь против того, что твоя дочь стала наложницей шейха?

— А почему я должен возражать? — Карл пожал плечами. — К тому же, ты ведь все равно сделаешь по-своему. Такой уж у тебя характер. Только не вмешивайся, ради бога, в мою жизнь, и тогда мы не будем ссориться.

Напрасно Дори считала, что научилась равнодушно относиться к пренебрежению родного отца. Это по-прежнему причиняло боль.

— Уверяю тебя, что, если даже Филип велит выкинуть меня отсюда, я позабочусь о том, чтобы это не сказалось на ваших взаимоотношениях. — Дори пригубила шампанское. — И обещаю, что не прибегу скулить у твоего порога. Я знаю, как много значат для тебя комфорт и спокойствие, которые ты сумел обрести в Седихане.

— Буду очень благодарен, если ты сдержишь свое слово. — На губах доктора Мадхена появилось подобие улыбки. — Глупо было бы изображать родительскую любовь, которой я никогда не испытывал. Мы с тобой и раньше не нуждались друг в друге.

— Я действительно никогда не нуждалась в твоей опеке, — как можно спокойнее сказала она.

— Ты всегда была умной девочкой, — констатировал Карл. — Жаль, что слово «дисциплина» было не для тебя.

Дори крепче сжала в руке бокал.

— Да, я сильно осложняла в прошлом твою жизнь, отец. Мне очень жаль. — Она поставила бокал на столик. — А теперь, если позволишь, я покину тебя. Филип делает мне знаки, чтобы я подошла.

— Не заставляй его ждать. — Доктор Мадхен отступил в сторону, давая дочери дорогу. — Может быть, мы поговорим потом.

Дори от души надеялась, что этого не произойдет. Она быстро шла к Филипу, охваченная единственным желанием — как можно скорее убежать от отца. Шейх резко оборвал фразу и посмотрел сверху вниз на Дори.

— Все в порядке? — тихо спросил Филип.

Дори улыбнулась лучезарной улыбкой.

— Конечно. Просто мне стало вдруг одиноко.

Филип прикрыл ладонью руку девушки.

— Да тебе холодно!

Весь мир превратился в огромный ледник после разговора с отцом.

— Просто я только что держала бокал со льдом. Со мной все в порядке.

— Тогда нам, видимо, пора приступать к обеду.

— Отличная идея, — поддержала его Дори, улыбаясь бородатому нефтяному магнату, с которым беседовал Филип, когда она подошла. — Я жутко проголодалась, а вы?

Во время обеда она все время чувствовала на себе взгляд Филипа, сидевшего на другом конце стола. С трудом заставив себя что-то съесть, Дори сосредоточилась на общении с гостями. Она улыбалась, шутила и говорила с гостями не переставая. Это отвлекало от грустных мыслей.

После обеда все перешли в библиотеку, где продолжили беседу за кофе и чаем с мятой. Дори даже удалось заставить себя улыбнуться отцу. Неожиданно все закончилось. Последняя пара покинула дворец шейха, а Дори все никак не могла отделаться от искусственной улыбки, словно приклеенной к лицу.

— Мне кажется, все прошло хорошо, — сказала она Филипу.

— Отлично! — с восторгом произнес он. — Ты вся просто светилась. Я вполне мог приказать выключить свет в гостиной и сэкономить на электричестве.

— Мультимиллионерам не к лицу жадничать. — Дори разгладила платье на бедрах. — Напомни мне как-нибудь рассказать тебе, как я заставила однажды счетчик крутиться назад, когда у меня совсем не было денег заплатить за электричество. Это позабавит тебя.

— Не нахожу в этом ничего забавного. — Взяв Дори под локоть, Филип увлек ее за собой по длинному коридору.

— Слава богу, что гости твои не такие привередливые. Им я, кажется, показалась вполне занимательной.

— Да ты просто очаровала их. Они даже не обратили внимание на твой ужасный рыжий парик.

— Напротив. Жена посла спросила меня, где я его купила. По ее мнению, такие парики войдут в моду. — Смех Дори напоминал перезвон маленьких серебряных колокольчиков. — Ну разве не забавно?

— Обхохочешься! — угрюмо пробормотал Филип, открывая дверь комнаты Дори. — На ближайшем официальном мероприятии мне, видимо, предстоит увидеть дам в таком же рыжем безобразии. — Филип быстро выдергивал из волос Дори булавки, державшие парик. — Но только не тебя. Я никогда больше не хочу видеть тебя в этом. Ты поняла меня?

— Так тебе не понравилось? Ты меня очень огорчил. — Дори изобразила отчаяние.

— Ты напоминала мне рыжего клоуна, который хохочет изо всех сил, чтобы удержаться от слез.

Она знала, что рано или поздно он догадается обо всем.

— Я не понимаю, что ты имеешь в виду.

— Оставь для публики эти свои невозможные, неискренние улыбки. — Повернув Дори спиной, он расстегнул «молнию» на платье и снял его с плеч. — Раздевайся побыстрее, а я найду тебе ночную рубашку.

Подойдя к комоду, Филип стал рыться в ящиках. Вскоре он вернулся к Дори, держа в руках тонкий голубой шелк.

— Пожалуй, вот эта подойдет. Все остальные прозрачнее паутины.

— Таким и должен быть гардероб наложницы шейха, — заметила Дори. — Поставщики из Марасефа знают твой вкус. Голубое для блондинок, пурпурное для брюнеток, желтое для...

— Замолчи! — Филип надел рубашку на голову Дори. — Для одного вечера вполне достаточно.

— Прости, — она улыбнулась. — Но ты ведь сам все это устроил.

Филип подхватил Дори на руки и понес к постели. Осторожно положил, прикрыв покрывалом. Шелк приятно холодил тело.

Филип стоял и, нахмурившись, глядел на Дори сверху вниз.

— Ты не хочешь раздеться? Тебе помочь? — Дори села на кровати. — Скажи мне, что тебе нравится. У меня нет опыта, но я быстро учусь.

— Мне кажется, ты любишь наступать на одни и те же грабли. Тебя наказывают, а ты возвращаешься за новым наказанием. — Глаза его странно блестели. — И я вовсе не хочу, чтобы ты помогла мне раздеться, и воспользоваться твоим прекрасным телом, как я сделал это прошлой ночью.

«Воспользоваться? Как можно называть таким отвратительным словом то, что произошло между ними вчера?» — думала Дори. Очень хотелось плакать, но она не могла позволить себе этого.

Филип снял пиджак и через секунду уже лежал на кровати рядом с Дори, прижимая ее к себе.

— Ты не хочешь заняться со мной любовью? — тихо спросила она.

— Нет, — отрезал Филип. — Я хочу, чтобы ты поговорила со мной. — Рука его нежно гладила волосы девушки. — Я хочу поговорить о твоем отце.

Дори насторожилась:

— Не знаю, зачем тебе это нужно. Да и говорить, в общем, не о чем. Ты, наверное, ожидал более эффектной сцены.

— Я знал, что встреча с ним причинит тебе боль. Но то, что случилось на самом деле... Этого я не ожидал.

— Не беспокойся, я не собираюсь по этому поводу лить слезы.

— Почему ты не хочешь быть откровенной со мной, Дори? Может быть, рассказать тебе, как шесть лет назад доктор Мадхен отреагировал на известие о твоем исчезновении?

— Не надо!

— Тебе все равно придется выслушать. Он не сказал тогда ни слова. Просто пожал плечами. Бегство родной дочери волновало его не больше, чем потеря носового платка!

— Я не хочу больше этого слышать! — Дори попыталась оттолкнуть Филипа, но в ответ он лишь крепко сжал ее в объятиях.

— Тебе придется услышать еще более неприятные вещи. За эти шесть лет отец ни разу не упомянул о тебе. Тебе больно, Пандора?

— Почему мне должно быть больно? — Ее сотрясала дрожь, которую она никак не могла унять.

— Это всегда будет причинять тебе боль, пока ты пытаешься спрятаться от истины. А истина в том, что Карл Мадхен способен на человеческие чувства и эмоции не больше, чем камень или кусок дерева. Он не любит тебя, Дори, и ты ничего не можешь изменить. Но твоей вины в этом нет.

— Пожалуйста, Филип, не надо, — умоляла Дори, но он не собирался останавливаться.

— Неужели ты думаешь, что мне нравится говорить все это? Я пригласил твоего отца в расчете на то, что после этого ты окончательно разочаруешься в предмете своих девичьих грез и исчезнешь из моей жизни. — Филип говорил тихим, срывающимся голосом. — Я не мог даже представить себе, что мне тоже будет больно вместе с тобой.

Дори вдруг почувствовала, как что-то словно прорвалось внутри ее, и слезы сами собой хлынули из глаз.

— Я знала, что отец не любит меня. Наверное, он вообще не способен любить кого бы то ни было. Думаю, женитьба на моей матери была для него чем-то вроде эксперимента. Неудивительно, что она развелась с ним. Остаться с таким человеком означало похоронить себя заживо.

— Пойми, Дори, некоторые люди рождаются слепыми или хромыми. А другие — не способны испытывать определенные чувства. Они тоже калеки. И не твоя вина в том, что доктор Мадхен не способен ответить на твою привязанность.

— Думаю, что поняла это в какой-то момент. Но на это ушло много времени. Мы ведь всегда жили вдвоем, переезжали с места на место. Мне было одиноко. И я не могла понять, почему отец равнодушен ко мне. Я любила его так сильно. Ну что ему стоило полюбить меня хотя бы чуть-чуть?

Филип почувствовал, как сердце болезненно сжалось в груди.

— Но я переросла это. — Дори нервно рассмеялась. — Наверное, в это трудно поверить после истерики, которую я только что устроила. Это от неожиданности. Отец был со мной весьма вежлив. Он сказал, что глупо было бы изображать любовь, которой никогда не существовало, но мы могли бы наладить дипломатические отношения. Наверное, мне надо было пригласить его на чашку чая. Он не возражает, чтобы я была твоей любовницей, если только я не прибегу к нему жаловаться, когда ты выставишь меня вон.

— Какая широта взглядов! — отстранив от себя Дори, он взял в ладони ее лицо. — И везет же тебе в жизни с мужчинами! Казалось бы, после стольких лет жизни с Карлом Мадхеном, ты должна была научиться понимать, кто хочет любить и быть любимым, а кто — нет.

— С тобой у меня не было выбора, Филип. — Дори беспомощно махнула рукой. — Я всегда любила тебя.

Шейх закрыл глаза и поморщился.

— О господи! Но я не хочу этого. Ты не сможешь сделать это со мной. Я не полюблю тебя, Пандора. Ты всегда будешь для меня лишь телом, согревающим мою постель. Почему бы тебе не уехать и не избавить себя от множества неприятностей? Ты не заслуживаешь такой жизни.

— Я не могу уехать, — прошептала Дори. Слезы блестели в ее глазах. — Я должна попытаться.

— И превратить в ад свою и мою жизнь?

Дори вдруг почувствовала, как сильно устала за сегодняшний день.

— Тебе не удастся отговорить меня, Филип. А сейчас я хочу спать. Я очень устала. Если, конечно, ты не решил все же заняться со мной любовью.

На губах Филипа играла улыбка, но в глазах застыла боль.

— Какая темпераментная у меня наложница. — Он потрепал Дори по щеке. — Спи, дорогая, я не хочу тебя сегодня.

На самом деле он хотел ее так же страстно, как и всегда, когда она была рядом. Филип нежно погладил темные круги под глазами девушки.

— Наверное, старею...

Дори улыбнулась так искренне и лучезарно, что у Филипа перехватило дыхание.

— Нет, только не ты! — Теплые губы коснулись его ладони. — Только не ты, Филип!

— Пандора... — Филип вдруг осекся, подбирая слова. — Дело вовсе не в том, что ты не стоишь любви. Ты лучше любой из женщин, которых я знал. Все дело во мне. Может быть, я чем-то похож на Карла Мадхена?

— Я ни за что не поверю в это! — Дори потерлась щекой о ладонь Филипа. — Знаешь, в детстве я любила читать древние мифы. Кстати, мне никогда не нравился миф о Пандоре. Но меня всегда очень трогала история Персефоны. Она была дочерью Деметры, богини природы. Плутон, бог подземного царства, похитил Персефону. И мать ее сказала, что ни одно зернышко за земле не даст всходов, пока ей не вернут дочь. Люди умерли бы от голода, если бы Зевс не уговорил Плутона отпустить Персефону. Они договорились, что три четверти года Персефона будет жить на земле, и тогда земля будет цвести и приносить плоды. А на три месяца она должна возвращаться к Плутону, в подземный мир. В это время на земле будет царствовать зима. Мне всегда было немного жаль Плутона. Может быть, он просто хотел своей доли весны? И я верила, что Персефона приносит с собой в подземное царство свежесть и красоту цветущей земли. Всем нам нужна весна. — Она поцеловала ладонь Филипа. — Когда я впервые увидела тебя, ты напоминал Плутона, запертого в пустынном подземном мире. Мне всегда хотелось принести тебе весну. И я могу сделать это, Филип. Ты совсем не такой, как мой отец. Пожалуйста, разреши мне попробовать.

— Я не могу сделать этого, Дори, — произнес он после долгой паузы, словно выдавливая из себя каждое слово. — Неужели ты не видишь этого?

— Нет, не вижу, — тяжело вздохнув, она закрыла глаза. — Кажется, я хочу спать.

Положив голову Дори себе на плечо, Филип нежно поцеловал ее в кончик носа.

— Да, Дори, спи спокойно. На сегодня война закончена, — нежно сказал он.

— Но я вовсе не воюю с тобой. Я никогда не смогла бы стать твоим врагом. Это ты борешься со мной и с собой, Филип. Кстати, ты же любишь спать один. Можешь идти. Со мной все в порядке.

— Не сомневаюсь. — Филип лишь крепче сжал Дори в объятиях. — Но мне почему-то не хочется покидать тебя. Причуда капризного, избалованного мужчины.

Мы со стариком Плутоном известны всему миру своими причудами. А теперь спи.

Дори устроилась поудобнее в его объятиях.

— Спокойной ночи, Филип. Увидимся утром.

— Спокойной ночи, Дори.

Глава 6

Рауль ждал его возле конюшни. За последние две недели дворецкий уже четвертый раз беспокоил шейха в связи с неотложностью возникших проблем. Глядя на встревоженное лицо Рауля, Филип невольно почувствовал беспокойство. Наверняка все дело в Пандоре. Очередная ее проделка.

Спрыгнув с лошади, он бросил вожжи конюху.

— Ну? Что на этот раз?

— Мисс Мадхен... — Рауль явно не знал, с чего начать.

— Я догадался, — резко прервал его шейх. — И что же она натворила сегодня?

— У нее ребенок...

Филип застыл на месте, словно пораженный громом.

— Ты не мог бы повторить? И как можно медленнее.

— Она была на базаре и вернулась с младенцем на руках, — с несчастным видом произнес Рауль. — Все домашние в шоке.

— Она купила ребенка на базаре?

— Нет, я думаю, мисс Мадхен нашла его. — Рауль нахмурился. — По крайней мере, так она сказала. Но трудно утверждать наверняка.

Только Пандора Мадхен могла довести до такого состояния его невозмутимого дворецкого. Филип понял, что он чего-то недоговаривает.

— Это ведь не все, правда?

— Она привела с собой еще несколько человек. Кажется, они имеют какое-то отношение к ребенку.

— Несколько человек?

— Заклинателя змей, двух уличных музыкантов, продавца воды и молодую женщину с очень пронзительным голосом.

— О господи! Но почему же ты пустил их всех в дом? Рауль беспомощно пожал плечами.

— Мисс Мадхен была настроена весьма решительно.

— Мисс Мадхен всегда настроена решительно. Это не означает, что ты не можешь сказать ей «нет».

— Но ей очень трудно отказать, когда она вбила что-то себе в голову.

С этим Филипу трудно было поспорить. За две недели своего пребывания в Седихане Дори успела перевернуть вверх дном его резиденцию, где обычно царили покой и безукоризненный порядок. Она постоянно попадала в какие-то истории на базаре или в ближайшей деревушке, так что Филип начал всерьез подумывать о том, чтобы посадить ее под домашний арест. Сейчас он пожалел о том, что не сделал этого уже вчера. Подумать только — притащить с базара младенца!

— Уверен, что все это было сделано из лучших побуждений. Мисс Мадхен — очень добрая девушка.

— Весьма великодушно с твоей стороны утверждать это, — сухо сказал Филип. — Тем более что именно тебе скорее всего придется нянчиться с этим младенцем, как шесть лет назад — с тигренком, которого принесла Пандора.

— О боже, надеюсь, что нет. Я ведь ничего не понимаю в младенцах. — Лицо его неожиданно просветлело. — Мисс Мадхен, кажется, весьма увлечена этим ребенком. Может, она захочет ухаживать за ним сама?

— Этого-то я и боюсь, — процедил сквозь зубы Филип, взбегая по лестнице на второй этаж. — Где она?

— В гостиной. В ее комнате не хватило бы для всех места.

Оказавшись в фойе второго этажа, Филип услышал музыку, если это можно было назвать музыкой. Какой-то неизвестный ему струнный инструмент пытался перекричать барабан. Филип поморщился.

— И ты говорил, что самые ужасные звуки в этой компании издает женщина? — спросил он следовавшего за ним Рауля.

— Вы еще не слышали ее, — угрюмо ответил дворецкий.

Минутой позже Филип понял, что он имел в виду. Вопли женщины напоминали протяжный вой, от которого волосы вставали дыбом.

— О господи, ее можно как-нибудь заткнуть? — воскликнул шейх.

— Мисс Мадхен, кажется, считает, что это наиболее здоровый выплеск эмоций.

— Прикажи приготовить машину, Рауль, — велел шейх, направляясь решительным шагом в гостиную. — Надо поскорее очистить дом от этого сброда.

— Да, сэр. Это было бы замечательно, — с нескрываемым облегчением произнес Рауль. — Я немедленно распоряжусь.

То, что увидел шейх в собственной гостиной, превзошло все его ожидания. Двое музыкантов в ярких полосатых костюмах играли, один — на цитре, другой на небольшом барабане. Воющая женщина лежала на диване, закрыв лицо рукавом своей коричневой робы. Торговец водой в красном халате с традиционным набором медных кружек и кожаным бурдюком энергично спорил о чем-то со стоящим у окна человеком в белом тюрбане. И посреди всего этого безобразия, на абиссинском ковре ручной работы сидела по-турецки Дори и играла с хорошеньким черноволосым малышом семи месяцев от роду.

— Пандора! — Филип старался изо всех сил говорить спокойно. — Не будешь ли ты так любезна объяснить мне, что здесь происходит.

Дори вздохнула с видимым облегчением.

— О, Филип! Я так рада, что ты вернулся. — Вскочив на ноги, девушка подхватила с пола ребенка и подбежала к шейху. — Они не хотят меня слушаться. Я показала им твой медальон, но у них нет ни грамма уважения к слабому полу. Думаю, Ханар тоже против змей, но они и ее не слушают. А она боится идти поперек воли свекра. — Дори остановилась, чтобы перевести дух. — Ты ведь правитель этой чертовой страны. Так скажи им, что они не имеют права так поступать.

— Как поступать? — недоуменно спросил Филип.

— Класть змей в манеж к ребенку! Любого нормального человека бросает в дрожь. — Дори с нежностью погладила ребенка по спинке. — Представь себе: змеи рядом с этим милым крошкой!

— Я не собираюсь ничего представлять. — Филип

едва сдерживался. — Я хочу, чтобы мне доложили коротко и ясно, что здесь, черт побери, происходит.

— Так я и объясняю тебе! — возмущенно воскликнула Дори. — Они кладут змей в манеж к ребенку. Когда я увидела несчастного малыша на базаре, рядом с ним спал уж, свернувшись кольцом. Я взяла эту гадость и выкинула из манежа.

— Похоже, нам придется играть в вопросы и ответы. — Филип указал пальцем на женщину, которая прекратила выть и испуганно смотрела на разгневанного шейха. — Кто это?

— Ханар, мать малыша. Вообще-то она ничего, только немного слабовольная.

— Та, которая боится своего свекра и поэтому позволяет класть змей в манеж? Кстати, кто из них этот самый свекор?

Дори махнула рукой в сторону окна, где бородатый торговец водой продолжал орать на молодого человека в белом тюрбане.

— Вон там, у окна: Белдар — заклинатель змей, а его отец Дэмиан — торговец водой.

Филип указал на музыкантов, один из которых как раз в этот момент извлек из цитры очередной душераздирающий звук.

— Им обязательно играть?

— Я не смогла их остановить. Это братья Белдара. Все они просто без ума от ребенка. Это первый мальчик в их семье. Они считают, что их музыка успокаивает младенца. — Дори поглядела на спокойно сидящего у нее на руках малыша. — И знаешь, возможно, они правы. Наверное, ему нравится тяжелый рок.

— Зато мне все это совсем не нравится, — отрезал Филип. — Ну что ж, теперь, когда у нас есть список действующих лиц, восстановим события. Итак, утром ты пошла на базар, увидела змею в манеже у ребенка и выкинула ее. Что было дальше?

— Белдар подбежал к манежу и попытался снова положить туда змею. — Глаза Дори метали молнии. — Я не могла этого позволить. Поэтому я схватила ребенка и принесла его сюда в надежде вразумить Белдара. Пока мы шли через базар, к нам присоединились остальные члены семьи. Я думаю, что во всем виноват отец Белдара. Если верить Ханар, он возлагает большие надежды на своих сыновей.

— Но зачем Белдару понадобилось класть змей в манеж? — Филип постепенно начинал понимать, в чем дело.

— Его отец сказал, что ребенку необходимо привыкать к рептилиям. Видишь ли, Белдар — гордость этой семьи, и Дэмиан хочет, чтобы малыш пошел по стопам отца. — Она понизила голос: — Между нами говоря, этим двум музыкантам никогда не выбраться из нищеты.

— И я прекрасно понимаю, почему. По сравнению со звуками, которые они издают, скрежет железа по стеклу покажется сладкой музыкой.

— Поэтому Дэмиан и хочет, чтобы его внук стал заклинателем змей. Музыкант должен хорошо играть, чтобы преуспеть, а заклинателю змей не обязательно...

— Пандора, — перебил ее Филип. — Скажи мне, что я должен сделать, чтобы эти люди убрались из моей гостиной?

— Все очень просто. Сделай то, что у тебя всегда отлично получалось, — запугай их. Запрети им класть змею в манеж к ребенку под угрозой отсечения головы или чего-нибудь в этом роде.

— И это все? Так что же ты не сказала сразу? — Филип быстро пересек гостиную и остановился перед злополучным семейством. Качая ребенка на руках, Дори наблюдала, как шейх Эль Каббар напускает на себя царственный вид. Он говорил что-то музыкантам, торговцу водой и воющей мамаше, не давая вставить ни слова. Затем вернулся к Дори и взял у нее ребенка.

— Отойди в сторону, — сказал он. — Сейчас начнется парад.

Дори повиновалась. Шейх вручил ребенка сияющей от счастья матери и встал рядом с Дори. Горе-музыканты быстро вскочили на ноги, похватали свои инструменты и, испуганно кивая Дори, поспешили ретироваться. За ними проследовал торговец водой. Последними вышли Белдар и Ханар с ребенком на руках. Молодая мать, выходя из комнаты, улыбнулась Дори.

— Ты был неподражаем. — Дори с довольной улыбкой повернулась к Филипу. — Конечно, мне придется время от времени наведываться на базар проверять их...

— Нет! — с жаром воскликнул Филип. — Я запрещаю тебе приближаться на пушечный выстрел к кому-либо из членов этого семейства.

— Но я не могу позволить...

Филип поднял руку, призывая к молчанию.

— Раз в три дня я буду посылать человека проверять, как они выполняют мои указания. Но ты держись от этого подальше.

— Если ты настаиваешь... — грустно согласилась

Дори. — Мне так хотелось бы увидеть еще раз этого ребеночка! Разве он не прелесть? — Дори вдруг замолчала, уставившись в угол комнаты.

— Что еще не так? — нахмурился Филип.

— Белдар забыл кое-что. — Дори быстро пробежала в угол комнаты и схватила стоявшую там корзину из ивовых прутьев. — Надеюсь, я сумею догнать их.

— Пандора, — окликнул ее шейх, — а что в этой корзинке?

Девушка бросила на него удивленный взгляд.

— Белдар забыл свою змею. Что же еще может быть в корзине заклинателя змей? Я сейчас вернусь.

Несколько секунд Филип задумчиво молчал, а затем вдруг от души рассмеялся. Когда Дори вернулась, он стоял, беспомощно привалившись к стене и пытаясь унять хохот.

— Догнала? — спросил он, протирая глаза.

— Не вижу ничего смешного, — строго сказала она. — Кстати, Белдар был очень груб со мной. И это вместо благодарности!

— Наверное, мне стоит прочитать ему еще одну лекцию. Как ты думаешь, это поможет?

— Сомневаюсь. Когда человек настолько глуп, чтобы класть змей... Филип, прекрати смеяться!

Рука Филипа накрыла ее губы. Сине-зеленые глаза его грозно сверкнули.

— Тебе еще повезло, что эта история рассмешила меня.

Нежно поцеловав ладонь Филипа, Дори отвела его руку.

— Наверное, это действительно выглядело забавно, — с некоторой неохотой признала она. — Особенно, когда вспоминаешь...

— Именно, когда вспоминаешь. Кстати, с юмором всегда так. Сначала что-то повергает тебя в ужас, а потом смешно вспоминать.

— Ты не выглядел испуганным. Ты просто блестяще изобразил грозного повелителя.

— Последние две недели у меня была большая практика. Не понимаю, как ты умудрилась остаться целой и невредимой за эти шесть лет? Тебе ведь обязательно надо оказаться в самом центре любого урагана.

Дори выдержала эффектную паузу.

— Беспокойство овладевает мной лишь тогда, когда я вынуждена красить ногти и нежиться у бассейна. Возможно, если бы ты не оставлял меня так часто одну, я не попадала бы во всякие истории.

— Еще один пункт твоего плана?

— На этот раз нет. Мне действительно скучно. И одиноко. Я ведь почти не видела тебя с того самого обеда, когда ты пригласил отца.

— Я предупреждал тебя, что будет именно так.

— Но ты собирался обращаться со мной, как с наложницей. Не понимаю, зачем тебе наложница, с которой ты не занимаешься любовью?

— Может, мне просто не нравится именно эта наложница? — произнес Филип, не глядя на девушку. — Может, мне достаточно было одной ночи.

— Это ложь, — с обидой сказала Дори. — Я знаю, что ты хочешь меня. Я чувствую это. Так почему ты, черт побери, не желаешь в этом признаться?

Глаза их встретились.

— Хорошо, — согласился Филип. — Я хочу тебя. Но я не собираюсь давать тебе фору.

— Фору? Но мы ведь не в теннис играем. — Дори вдруг почувствовала, что голос ее вот-вот задрожит. — Ты мне просто не доверяешь, Филип. Наверное, думаешь, что я произнесу над тобой какое-нибудь эротическое заклинание, как только ты окажешься в моей постели. — Дори улыбалась, но губы ее слегка дрожали. — Я готова с этим смириться. Но почему мы не можем проводить вместе хотя бы несколько часов в день? Мы ведь прекрасно ладили когда-то. Мне казалось, что тебе даже нравилось мое общество. — Дори машинально схватила Филипа за руку. — Я обещаю, что не буду пытаться тебя соблазнять. Сколько бы ты ни отрицал это, я ведь по-прежнему часть твоей жизни. Если ты не можешь принять меня как возлюбленную, может быть, мы сумеем быть просто друзьями?

— Ты ведь сама говорила, что я не дружу с женщинами, — напомнил Филип.

— А мне хотелось бы стать исключением из этого правила. — Она крепко сжала локоть Филипа. — Ты же не хочешь, чтобы я исчезла из твоей жизни! Почему не признать это и не вести себя разумно? Может быть, дружба — это именно то, что требуется тебе, чтобы сохранить и меня, и твою драгоценную внутреннюю независимость. — Голос ее стал мягче. — А если у нас ничего не получится...

Дори сказала правду. Он не готов был отпустить ее. Он не хотел ее отпускать.

— Я всегда знал, что ты — исключение из любого правила, — мягко сказал он. — Так почему не попробовать...

— Ты не шутишь? — Глаза Дори засветились радостью. — О, Филип, я сделаю все, чтобы ты не пожалел. Это будет прекрасно. Мы сможем столько всего делать вместе... Говорить, кататься верхом и...

Откинув голову назад, шейх вдруг громко расхохотался. Затем поглядел на Дори глазами, полными тепла и нежности. Никогда еще она не видела у него такого взгляда.

— Значит, теперь ты не будешь скромно ждать вечера в надежде, что я уделю тебе время?

Дори улыбнулась в ответ. Радость наполняла все ее существо.

— Я буду такой хорошей. Ты меня не узнаешь. Я совсем не стану тебе надоедать и...

Ладонь Филипа закрыла ей рот.

— Но мне вовсе не нужна покорная маленькая Пандора, которая крадется на цыпочках, чтобы меня не потревожить. — Филип шутливо поморщился. — И хорошо, что не нужна. Потому что ты все равно не смогла бы притворяться больше двух дней. Просто будь собой, Дори. Что касается меня, то со мной очень легко иметь дело. Я предъявляю к своим друзьям только одно требование.

— Правда? — насторожилась Дори. — И какое же?

— Им строго-настрого запрещено... приносить змей ко мне в гостиную.

Дори соскочила с лошади.

— Давай остановимся здесь на пару минут, — сказала она, подбегая к краю скалы и оглядываясь через плечо на Филипа. — Если, конечно, не возражаешь.

— А разве ты стала бы слушать мои возражения? — Филип соскочил с Эдипа и подошел к Дори, любовавшейся видом на долину с высоты утеса. Взгляд ее восхищенно скользил по зеленым склонам.

— Красиво, правда?

— Это не просто красиво, — тихо произнес Филип. — Эта долина дарит моим подданным жизнь. Когда нефть в этих местах кончится, люди смогут заниматься земледелием, и семьи их не будут знать нужды и голода. Этой осенью мы собрали отличный урожай. — Глаза его буквально горели. — Ты хоть понимаешь, что за чудо здесь происходит? Я всю жизнь мечтал об этом. Четыре года упорного труда и борьбы. Борьбы за воду. И мы добились своего, Дори. Прозрачная, чистая вода пришла к нам. И пустыня расцвела. Ты видишь, как она цветет, Дори!

— Я рада за тебя, Филип. Ты столько работал, чтобы увидеть этот урожай. — Дори вдруг почувствовала прилив такой любви и нежности, что сердце, казалось, вот-вот выпрыгнет из груди.

Последние две недели они были неразлучны. Подолгу разговаривали, слушали музыку, совершали конные прогулки по окрестностям, ездили на базар, вместе садились за стол.

Но самое главное было в другом. Их отношения стали теплыми, доверительными. Как приятно было чувствовать себя наконец на равных с мужчиной, которого любишь. Дори перестала казаться Филипу несносным ребенком или коварным врагом. Он обращался с ней как с женщиной, достойной всяческого уважения.

— Что вызвало улыбку леди? — Филип присел рядом

с Дори, обхватив руками колени. Он с подозрением поглядел на девушку. — Долгие годы знакомства научили меня быть начеку, когда у тебя такое довольное выражение лица.

— Я как раз думала о том, что ты ценишь женщин куда больше, чем стараешься показать. И это мне очень нравится.

— Я действительно уважаю некоторых представительниц твоего пола. Не хотелось бы, чтобы ты считала меня женоненавистником. Кстати, мне нравятся в тебе некоторые черты характера, которые сделали бы честь любому мужчине.

— Мужчине? — удивилась Дори.

Филип кивнул:

— Ты решительна, справедлива, честна. Если дать тебе время, ты сможешь приобрести и другие достоинства.

— О господи, я поторопилась тебя похвалить. Узнаю в тебе старину Генри Хиггинса. Но я — не Элиза Дулиттл. Я считаю, что неплохо воспитала себя сама, без посторонней помощи.

Филип щелкнул пальцами.

— Жажда независимости! И как я забыл упомянуть самое мужское из твоих достоинств!

— Ты просто невозможен, — пробормотала она сквозь зубы. — Совершенно невозможен.

— Конечно, — продолжал дразнить ее Филип, — женщины редко обладают подобными качествами, но некоторым это удается.

— Филип! — грозно нахмурилась Дори, но затем вдруг засмеялась, закинув голову назад. — Я сдаюсь. Ты никогда не изменишься.

— Как хорошо, что ты наконец это поняла. Мои взгляды и привычки сформировались слишком давно, чтобы менять их. Они могут быть немного скорректированы, но не более того.

Это было предупреждение. Но Дори решила не думать о завтрашнем дне и наслаждаться настоящим. За последнюю неделю он даже ни разу не сказал, что ей хорошо было бы уехать. Возможно, он уже готов сдаться, только сам еще этого не понял.

— Я не стала бы хвастаться этим на твоем месте, — сказала Дори. — Ты сказал, что не потерпишь перемен, но это ведь не оставляет никакой возможности для милых безрассудств, которые могли бы в один прекрасный день...

— Сказочница, — улыбнулся Филип.

— Возможно. А может быть, и нет. — Она подбежала к лошади. — Я проголодалась, а ты? Поехали!

Филип неторопливо поднялся.

— И откуда в тебе столько энергии?

Дори улыбнулась ему, вскакивая в седло.

— Я вырабатываю ее по ночам. Эльфы установили в моей комнате волшебную прялку, и я пряду всю ночь нити энергии. — Улыбка померкла, когда ее глаза встретились с глазами Филипа. — Но это происходит только после полуночи, когда весь мир спит. Приглашаю тебя зайти посмотреть. Эльфы не будут возражать. И я тоже, — добавила она почти шепотом.

Филип быстро вскочил в седло, и лицо его снова стало непроницаемым.

— Не думаю, что это удачная идея. Волшебные человечки часто исчезают, когда появляется тот, кто в них не верит.

Дори не понимала, почему Филип отказывался от близости с ней. Он даже избегал касаться Дори, словно она была прокаженной. Но если это все же происходило случайно, то вовсе не оставляло его равнодушным. Сначала Дори думала, что это плод ее воображения, что на самом деле Филип вовсе не хочет ее. Но слишком часто она ловила на себе его полный страсти взгляд, чтобы ошибаться. Филип хотел ее!

— Тем хуже для тебя. Но, видимо, ты этого не понимаешь, — сказала Дори и пришпорила лошадь.

Филип прекрасно понимал, что теряет. Он знал, какая у нее мягкая и шелковистая кожа, какое это блаженство — проникать в ее лоно, когда она движется в такт его движениям, постанывая от удовольствия... Он чувствовал, как при одной мысли о близости с Дори нарастает возбуждение. Но не позволял себе думать об этом.

— В чем дело? Не поспеваешь? — крикнула Дори, оглянувшись назад.

Филип рассмеялся в ответ.

— Вопрос не однозначный, и ответов на него может быть несколько, — серьезно ответил он.

— Я не понимаю, что ты имеешь в виду, — нахмурилась Дори.

— Не обращай внимания. Это шутка. — Пришпорив лошадь, он проскакал мимо девушки. — Так кто там собирался меня обогнать?

Телефон зазвонил, когда они заканчивали завтракать.

— Меня? — изумленно переспросила Дори Рауля. — Но кто может спрашивать меня?

— Некий Нил Сейбин. Он звонит из Парижа.

— Из Парижа? Что он делает в Париже? — удивленно воскликнула Дори, вскакивая со стула.

— А ты уже готова бежать выяснять это, — язвительно заметил шейх. — Могла бы хоть дождаться конца завтрака.

— Не умирать же мне от любопытства. К тому же это может быть что-то важное.

— Что может быть настолько важно для тебя? — Филип готов был метать громы и молнии. — Ты ведь говорила, что покончила с «Немезидами».

Дори решительно направилась к двери.

— Нил — мой друг. Он много сделал для меня за эти годы. Я никогда не забываю друзей. Поговорю из библиотеки и вернусь, — спокойно сказала она.

— Можешь не торопиться. — С каменным лицом Филип пил кофе. — Твой лучший друг может обидеться.

— Я скоро вернусь, — повторила она, выходя из столовой.

Она пришла обратно через пятнадцать минут и была явно чем-то огорчена.

— Ну? — спросил Филип с ледяной улыбкой. — Как поживает твой друг?

— Неважно. Мне необходимо полететь в Париж.

— Даже так?

— Ради всего святого, Филип, — взмолилась Дори. — Я должна лететь. Нил, Джин и Поли в Париже ведут переговоры по поводу европейского турне. У них новая солистка...

— Если у них есть новая солистка, зачем им ты? — возмутился Филип.

— У них возникли проблемы с мистером Дюбуа. Он не хочет вкладывать деньги в неизвестную исполнительницу. А для «Немезид» очень важно, чтобы турне прошло на высшем уровне. Если они успешно проведут гастрольный тур по Европе, то получат большие гонорары. — Дори сделала паузу. — Дюбуа всегда любил меня. Он руководил нашими первыми гастролями. Нил считает, что я сумею убедить его поверить в эту новую девчонку. По крайней мере, стоит попробовать.

— Конечно. Ты должна лететь. Я велю Раулю распорядиться насчет самолета, пока ты будешь собираться.

Все это было сказано таким ледяным тоном, что Дори охватила паника.

— Но мне действительно надо помочь своим друзьям, Филип. Я прилечу туда сегодня, поговорю с Дюбуа и вернусь завтра вечером.

— Нет! — отрезал Филип.

Дори застыла.

— Что «нет»?

— Не возвращайся. Ты не нужна мне здесь. Я хочу, чтобы ты ушла из моей жизни.

Сердце Дори сжалось от боли.

— Ты лжешь, Филип. Я знаю, что нужна тебе. Я вернусь завтра вечером, и все пойдет по-прежнему. Вот увидишь.

— Даже не рассчитывай на это. Ты знаешь, я редко держу при себе женщину больше месяца. Не забудь взять с собой безделушку, которую я прислал тебе в Сан-Франциско. Больше подарков не будет.

— Ты ведь знаешь, что мне не нужны твои подарки, — прошептала Дори. — Почему ты так жесток со мной?

Тень боли пробежала по лицу шейха.

— Не возвращайся, — повторил он. — Ты пожалеешь, если вернешься.

— Я буду дома завтра вечером, — хрипло произнесла Дори.

— Это мой дом, а не твой. Ты здесь чужая. Запомни это, Пандора. — Не глядя на нее, он поспешно вышел из комнаты.

Дори с трудом сдерживала слезы. За что? Почему? Она ожидала вспышки гнева, даже ревности, но только не этого холодного пренебрежения. Она не могла поверить, что это говорит ее Филип. Нет, она ни за что не смирится с этим. Под холодной маской, которую надел на себя шейх Эль Каббар, скрывается веселый, добрый и нежный человек. И она сделает все, чтобы вернуть его.

Дори решительно встала. Чем скорее она закончит дела в Париже, тем скорее вернется сюда.

Глава 7

Уже сгустились сумерки, когда черный лимузин подъехал на следующий день к резиденции шейха Эль Каббара. Дом Филипа напоминал сказочный дворец из «Тысячи и одной ночи». Свет, падавший из окон, отражался в разноцветных плитках, которыми был облицован двор. Несмотря на свое великолепие, дворец показался Дори каким-то чужим. Вероятно, сказалась сильная усталость.

Она хотела переодеться, прежде чем увидит Филипа, но вдруг поняла, что у нее нет сил. Дори не спала ни секунды с тех пор, как улетела вчера из Седихана.

Дюбуа, как и предполагал Нил, упрямо не желал соглашаться ни с какими доводами. Пришлось провести целый вечер, уговаривая его раскошелиться и организовать турне должным образом. Переговоры затянулись до ночи и возобновились утром, после завтрака. Наконец совместными усилиями Дюбуа удалось сломить. Нервы Дори были напряжены до предела после бессонной ночи. Встреча с Филипом не предвещала ничего хорошего. Когда она позвонила из Парижа, чтобы сообщить время своего прибытия, Рауль сказал ей, что шейх Эль Каббар занят и не ответит на звонок.

Дворецкий вышел навстречу Дори. Она напряженно улыбнулась.

— Здравствуй, Рауль. Тебя послали охранять ворота? Боюсь, сейчас я не слишком достойный противник. Валюсь с ног от усталости.

— Мне дали совсем другое поручение. — В голосе дворецкого звучало искреннее сочувствие. — Велено попросить шофера подождать, а вас — подняться в библиотеку к шейху и его гостям.

— Гостям? — Только бы Филипу не пришло в голову снова пригласить ее отца. Дори расправила плечи и подняла голову. — Хорошо, Рауль, я пройду прямо в библиотеку. Хотела переодеться, но не стоит заставлять шейха Эль Каббара ждать. — Она печально улыбнулась. — Это ведь было бы по меньшей мере невежливо.

Рауль был явно взволнован.

— Мисс Мадхен, может быть, вам лучше вернуться

в Париж. А потом, когда шейх будет не в таком ужасном настроении, вы сможете приехать.

— Неужели все так плохо, Рауль?

— Я никогда не видел его в таком гневе. Для вас лучше было бы подождать, пока он... — Рауль беспомощно пожал плечами. — В общем, вам лучше подождать.

Дори задиристо тряхнула головой:

— Я не из тех, кто спасается бегством. Так что водитель лимузина может прождать всю ночь. Я не воспользуюсь его услугами.

Рауль сделал шаг в сторону, пропуская Дори.

— Не думаю, что...

— Не волнуйся за меня, Рауль. Все будет хорошо.

Она быстро прошла по длинному коридору. Дверь библиотеки была приоткрыта. Распахнув ее настежь, Дори буквально ворвалась в комнату и застыла, точно пораженная громом.

В кресле лицом к двери сидела женщина. Очень красивая смуглая женщина с темными волосами, блеск которых эффектно подчеркивало пурпурное платье из полупрозрачного шифона. С соблазнительной улыбкой на губах женщина смотрела на стоящего рядом с креслом Филипа.

Дори невольно подумала о том, что рядом с этой шикарной красоткой она выглядит маленькой бродяжкой.

— Здравствуй, Филип, — произнесла она, не слыша собственного голоса. — Насколько я поняла, ты хотел меня с кем-то познакомить?

Филип был одет к обеду. Вид у него был грозный и

внушительный. Он повернулся к Дори с улыбкой на губах, но глаза его оставались холодными.

— Да. Вам не помешало бы познакомиться.

Подойдя к креслу, Дори встала рядом с Филипом.

— У твоих поставщиков в Марасефе примитивный вкус, — сказала она. — Брюнеткам идет не только пурпурно-алый цвет. Вам, например, очень пошло бы розовое, мисс ...?

— Ленат, — вставил Филип, не сводя глаз с Дори. — Мисс Натали Ленат. Как ты уже догадалась, она сменила тебя в моей спальне.

— Рада нашему знакомству, мисс Ленат, — устало произнесла Дори. — Мне очень жаль, что вас втянули в эту историю. Вы этого не заслуживаете.

— Не понимаю... — пробормотала обескураженная Натали.

— Лучше отошли ее, Филип, — спокойно сказала Дори. — Ты не удивил меня.

— А с чего ты взяла, будто я хотел тебя удивить? Мы с Натали давно знакомы и в прошлом не раз наслаждались... обществом друг друга.

— Прошлое осталось в прошлом. — Дори едва сдержалась, чтобы не сорваться на крик. — Твое настоящее и будущее — это я, Филип.

— Нет, — тихо произнес шейх. — Ты уже в прошлом, Дори. Пойми это и постарайся меня забыть.

— Не делай мне так больно, — прошептала она. — Ты ведь не хочешь этого.

— Ошибаешься! — На губах Филипа играла злорадная улыбка. — Я велел собрать твои вещи. Рауль уже положил их в машину. Извини за спешку, но Натали потребовался гардероб. Не так ли, дорогая?

На лице миловидной брюнетки мелькнуло что-то похожее на сочувствие.

— Думаю, мне лучше оставить вас наедине, — произнесла она, поднимаясь с кресла.

Рука Филипа тут же властно опустилась ей на плечо.

— Останься. Кстати, у меня есть для тебя подарок.

— Подарок?

— Необычный подарок.

Подойдя к Дори, он снял с ее шеи медальон.

— Пандоре это больше не понадобится. Она покидает Седихан.

— Я не собираюсь больше терпеть все это, Филип. Это мой медальон!

— Только до тех пор, пока я этого хочу, — почти прорычал шейх. — А я передумал оставлять его у тебя. Я хочу подарить его своей новой наложнице. — Он надел медальон на шею Натали, но медлил, не застегивая цепочку. — Какая изящная у нее шея, не правда ли?

— Черт тебя побери! — взорвалась Дори. — Черт тебя побери, Филип Эль Каббар! Кто дал тебе право быть со мной таким жестоким? Что случилось? Снова испугался, что можешь отдать мне кусочек своей бессмертной души? Что ж, не волнуйся. Я не уверена, что хочу получить от тебя что-либо. Кажется, мое сердце замерзло в твоем холодном мире, Филип. В мире вечной зимы, где тебе так нравится жить. — Она остановилась у двери. — И если у меня будет ребенок, я не хочу, чтобы он жил среди льдов. Так что можешь вздохнуть с облегчением. Мы не потревожим тебя больше.

Дори скрылась за дверью. Филип смотрел в пустоту невидящими глазами. Дори оставила его. Он хотел именно этого? Но откуда же тогда это пронзительное отчаяние?

— Ты ведь не собираешься дарить мне этот медальон? — тихо спросила Натали. — Ты просто хотел сделать ей больно?

— Да, я просто хотел сделать ей больно, — машинально повторил Филип. Он взял медальон у Натали, испытывая чувство отвращения к самому себе.

— Думаю, ты преуспел в этом. — Француженка грациозно поднялась на ноги.

— Да уж. — У него закружилась голова, когда он вспомнил, каким несчастным было лицо Дори.

— Думаю, мне надо собрать вещи. — Натали направилась к выходу. — Я не нужна тебе здесь. Все это было лишь игрой. Или я ошибаюсь?

— Ты права, — рассеянно признался Филип. Перед глазами все еще стояло побледневшее лицо Дори. — Прости, Натали. Ты будешь достойно вознаграждена за потраченное время.

— Спасибо, ты всегда был очень щедр.

За Натали закрылась дверь.

Она была права. Филип действительно затеял игру. И проиграл. Никто и никогда не сможет заменить Дори — эту несносную девчонку, эту самую желанную женщину на свете.

С того самого момента, когда Дори сказала, что должна лететь в Париж, Филип жил как в лихорадке. Боль, причиненная ее отъездом, была такой острой, что он поспешил спрятаться в свою раковину, так и не разобравшись, что происходит с ним на самом деле.

В дверь тихонько постучали. На пороге появился Рауль.

— Я могу отпустить водителя? — спросил он прохладным тоном, означавшим высшую степень неодобрения.

— Водителя? — переспросил Филип. — Лимузин еще здесь? Но Пандора...

— Мисс Мадхен не воспользовалась лимузином. Она выбежала через парадную дверь, но не стала садиться в машину. Не думаю, что она вообще заметила ее. Мисс Мадхен была очень расстроена.

— Я знаю, — виновато произнес Филип. — Но куда она пошла? И почему ты не остановил ее?

— Я не был уверен, что вы одобрите подобное поведение. Вы ведь хотели, чтобы она уехала.

— Куда она побежала? — требовательно спросил шейх. — Не надо сыпать соль на свежую рану, Рауль. Мне необходимо знать, куда она направилась.

— Мисс Мадхен побежала через двор по направлению к конюшне.

Филип пробормотал проклятие. Надо было сразу догадаться, что Дори побежит именно туда.

— Эдип, — сдавленно пробормотал он. — О боже! — Филип кинулся к двери вне себя от страха.

Дори бежала прочь. Она не замечала слез, струившихся по щекам. Она знала только одно — надо бежать как можно быстрее, чтобы спрятаться от этой невыносимой боли.

Эдип тихонько заржал при ее приближении. Черный отласный круп переливался в лунном свете. Какой он красивый и сильный! Совсем как Филип. Такой же гордый, такой же далекий. Обвив руками его шею, Дори спрятала лицо в густой гриве.

— Как насчет прогулки? — спросила она. — Мне это просто необходимо. Сегодня я решила обогнать ветер. Нам с тобой нужна свобода, не так ли?

Через несколько минут, оставив усадьбу далеко позади, Дори мчалась верхом на Эдипе по дороге, ведущей к холмам.

— Давай, — шептала она, приникая к его пышной гриве. — Давай, парень, беги!

Ветер трепал ее кудри, мешал дышать, но Дори не чувствовала этого. Как приятно было ничего не чувствовать! Лунный свет освещал дорогу и маячившие впереди холмы.

Она вдруг вспомнила, как сидела вчера на скале рядом с Филипом и смотрела на эти самые холмы. Филип смеялся, поддразнивая ее, и лицо его светилось теплотой и нежностью... Сердце снова пронзила острая боль. Нет, она не может скакать сейчас туда. Но как остановиться без уздечки?! Эдип бежал все быстрее и быстрее, стремительно покрывая расстояние, отделявшее их от подножия холмов. Затем полез вверх, и Дори пришлось схватиться покрепче за гриву, чтобы не соскользнуть с его лоснящейся от пота спины. Дори охватила паника. Она наклонилась пониже, обняла Эдипа за шею и попыталась его остановить. Неожиданно он встал на дыбы, колотя передними копытами в воздухе. Руки разжались, и Дори почувствовала, как падает, проваливается куда-то.

Она ударилась о твердую, каменистую почву. Боль в нижней части спины накатила горячей волной, заставив ее вскрикнуть. Густой туман закрыл все вокруг. Дори теряла сознание. Она подняла голову, пытаясь разглядеть хоть что-нибудь. Как странно! Вечером никакого тумана не было... Тьма поглотила ее...

Из темноты донесся голос Филипа. Он был каким-то хриплым, срывающимся. Дори никогда не слышала, чтобы Филип говорил таким голосом.

Она заставила себя открыть глаза. Перед ней действительно был Филип.

— Это моя вина, — прошептала Дори.

Лицо Филипа приблизилось.

— Тебе лучше не разговаривать, — произнес он. — Первая помощь оказана. Все должно быть хорошо. — Его голос дрожал.

— Это я виновата во всем. Я, а не Эдип.

— Я знаю, что Эдип не виноват. А теперь закрой глаза и попытайся отдохнуть. Скоро здесь будет твой отец. Мы позаботимся о тебе.

— Мой отец? — Дори невольно поежилась. — Холодно. Мне очень холодно, Филип.

— Тише. Я знаю. — Он крепко сжал ладонь девушки. — Это продлится недолго, а потом ты никогда больше не будешь мерзнуть. Я обещаю тебе.

Филип всегда держал данное им слово. Она знала это. Но даже Филип не может творить чудеса. Как он принесет весну в мир холода и льда?

— Мой отец ничего не знает о весне. — Глаза ее снова закрылись. — Он ничего не знает.

— Тогда нам придется его научить, — хрипло произнес Филип. — Я же обещал, Дори. Продержись еще немного.

— Я постараюсь...

Слышал ли Филип ее слова? Рука его все крепче сжимала пальцы Дори, словно он пытался удержать ее, не дать ускользнуть. Темнота казалась такой теплой. Дори уплывала на ее волнах, словно на руках у Филипа, когда он нес ее с виноградника в ту далекую ночь много лет назад. Какое приятное воспоминание...

— Она без сознания, — произнес за спиной Филипа Карл Мадхен. С выражением полного равнодушия на лице он подошел к дочери и взял ее за запястье. — Рауль сказал, что она упала с лошади в горах. Через сколько вы ее обнаружили?

— Не больше чем через два часа. Мы отправились на поиски сразу же, как только в конюшню вернулся взмыленный Эдип. Действовали очень осторожно. Принесли ее на носилках. Мне кажется, все кости целы. — Филип тихонько коснулся бедра девушки. — Но у нее шок и кровотечение.

— Я вижу. Ну что ж, надо сделать кое-какие анализы. Моя ассистентка ждет за дверью. Скажите ей, чтобы вошла. Я зайду в библиотеку, когда будут результаты.

— Я останусь здесь, — хрипло произнес Филип.

— Это будет мешать. Мне легче будет работать, если вы покинете помещение.

Филип с неохотой отпустил руку Дори.

— Хорошо. Поторопитесь. Я хочу знать о ее состоянии.

— Вы услышите диагноз первым. Но надо сделать анализы и, возможно, рентгеновские снимки. Я знаю свою работу, шейх Эль Каббар, не сомневайтесь.

Филип никогда не сомневался в этом. Доктор Мадхен был внимательным и компетентным врачом. Иначе Филип не стал бы держать его при себе столько лет.

— Сообщите мне сразу же, — уже спокойнее попросил он. — Я буду ждать.

Он быстро покинул кабинет и отправился в библиотеку, остановившись лишь для того, чтобы попросить ассистентку Мадхена зайти внутрь.

В библиотеке Филип подошел к бару и налил себе бренди. Затем он опустился в кресло с высокой спинкой и положил ноги на стол. Он был весь в грязи после ночной скачки. На серых брюках для верховой езды видны были даже пятна крови. Ее крови... Филип крепче сжал стакан. Не думать, не думать ни о чем... Не вспоминать тот страшный миг, когда он нашел лежавшее на камнях без признаков жизни тело Дори...

Филип откинул голову назад и закрыл глаза. Он не молился с тех пор, как был ребенком. «Господи, только бы она выжила», — шептал он.

Прошло долгих два часа, прежде чем раздался стук в дверь, и на пороге библиотеки появился доктор Мадхен. Филип резко выпрямился, пристально вглядываясь в лицо доктора.

— Ну?

— Насколько можно судить без рентгена, сломанных костей нет. — Он взглянул на открытый бар. — Могу я присоединиться?

— Валяйте, — махнул рукой Филип. — А почему вы не сделали рентген?

— Я подумал, что лучше не делать этого, не посоветовавшись с вами. — Мадхен налил себе немного белого вина.

— Что вы имеете в виду?

— Дори выздоровеет. В этом не может быть сомнений. — Мадхен со вкусом пригубил вина. — У нее крепкое здоровье. Но рентгеновские лучи вредны для ребенка.

— Что? — Изумлению Филипа не было предела.

— Пандора беременна, — спокойно произнес Мадхен. — И понадобится приложить немало усилий, чтобы сохранить эту беременность. — Он посмотрел прямо в глаза Филипу. — Я хотел бы быть уверен, что это совпадает и с вашим желанием, шейх Эль Каббар. Ведь незаконнорожденный ребенок может поставить вас в весьма щекотливое положение.

В комнате повисла тишина.

— О господи! — изумленно воскликнул наконец Филип. — Она ведь ваша дочь!

Мадхен поправил очки в черепаховой оправе.

— Я ведь всего-навсего стараюсь учесть интересы своего работодателя.

— А как насчет интересов собственной дочери? Ведь вы наверняка знаете, что Дори хотела бы сохранить этого ребенка. Вы отлично это знаете, черт бы вас побрал! И все же вы готовы отнять у нее ребенка, воспользовавшись ее беспомощностью!

— Насколько я понимаю, вы хотите этого ребенка, — бесстрастно произнес Мадхен. — Если это так, я приложу все усилия, чтобы обеспечить удачное протекание беременности.

— И попробуйте только не приложить! — Филип

грозно сверкнул глазами. — Всю жизнь вы лишали собственную дочь права на отцовскую любовь. Но любовь ребенка вам у нее не отнять. Вы будете обращаться с ней как с драгоценной и очень хрупкой статуэткой. — Он поднялся с кресла и сжал ладони в кулаки. — Иначе я разорву вас на куски.

Мадхен удивленно заморгал.

— Я никогда не был жесток с Пандорой. Не понимаю, о чем вы.

— Следите за тем, чтобы не причинить ей боль, — устало произнес Филип. — Возможно, для этого вам лучше видеться как можно меньше.

— Как прикажете. — Мадхен поставил на крышку бара пустой бокал. — Но позвольте указать вам на один момент, шейх Эль Каббар. Не по моей вине Пандора находится сейчас в таком состоянии.

Филип почувствовал, как кровь бросилась ему в лицо.

— Вы правы, — с горечью произнес он. — Между нами говоря, мы чуть не погубили Дори, самую нежную и любящую женщину на свете. — Дрожащими руками Филип закрыл лицо. — Пора исправлять свои ошибки. Я молюсь лишь о том, чтобы Дори позволила нам это сделать.

Снова опустившись в кресло, Филип поднес к губам стакан с бренди.

— А теперь возвращайтесь к дочери, Мадхен. И позаботьтесь о ней. Если она потеряет ребенка, я сотру вас в порошок. — Он нахмурился. — И не говорите Дори, что она беременна. Я сделаю это сам. И, вообще, если вы не способны сказать ей хоть что-нибудь доброе, лучше не разговаривайте с ней совсем.

— Я сделаю все от меня зависящее, я ведь уже сказал вам об этом.

Как только за доктором захлопнулась дверь, Филип снова откинулся на спинку кресла, глядя перед собой невидящим взором. Ребенок... Он никогда не думал о том, что может стать отцом. Но он, вне всяких сомнений, хотел этого ребенка, их с Дори ребенка. При мысли об этом все существо его наполнилось вдруг радостью счастливого собственника.

Глава 8

Филип лежал рядом, сжимая ее в объятиях и не сводя глаз с ее лица. Оба они были без одежды, но Дори не могла вспомнить, как они оказались здесь.

— Филип?

— Шшш. — Губы его нежно коснулись ее губ. — Поспи еще. Тебе это необходимо. Утром у тебя будет болеть все тело.

— Но почему у меня должно болеть... — Глаза ее расширились. — Эдип! С ним все в порядке?

— Куда лучше, чем с тобой.

— Я, кажется, упала, — пробормотала она, пытаясь вспомнить. — Я хотела остановить Эдипа, но он встал на дыбы, и я упала. — Глаза ее остановились на лице Филипа. — Со мной произошло что-нибудь страшное?

— Ты спрашиваешь, не сломала ли ты шею? Нет, хотя вполне могла. Но, слава богу, отделалась шоком и синяками. Твой отец сказал, что тебе следует оставаться в постели и избегать волнений примерно с неделю.

— Здесь был мой отец? — Дори рассмеялась. — Ты уверен, что я не ушиблась головой?

— Уверен. Ты просто спала, как убитая. Мадхен сказал, что это последствие шока. — Филип приподнялся на локте, простыня сползла, обнажая мощную грудь, поросшую темными волосками.

— Самое лучшее для тебя сейчас — сон. Твой отец сказал, что, если ты проснешься в плохом самочувствии, я должен дать тебе еще снотворного.

— Но я не хочу больше спать. Я уже проснулась. — Дори обвела взглядом комнату. — Мы в твоих апартаментах. Но что я здесь делаю?

— Я приказал принести тебя сюда. Ассистентка Мадхена осталась дежурить на всякий случай, но мне не хотелось, чтобы ты провела ночь в кабинете первой помощи. — В улыбке Филипа было столько тепла и нежности, что Дори тут же почувствовала головокружение, не имевшее никакого отношения к ее падению. — Я ведь эгоист. Мне показалось, что без тебя я не смогу уснуть.

Дори затаила дыхание.

— Но ты прекрасно спал без меня целый месяц.

— Правда? — Филип лукаво улыбнулся. — А знаешь ли ты, что ни в одну из своих одиноких ночей я не спал больше двух часов. Не думал, что так быстро привыкну спать с тобой рядом. — Наклонившись, он нежно поцеловал Дори в висок. — Возможно, я никогда уже не смогу спать без тебя.

— Не веди себя так со мной, Филип, — покачала головой Дори. — Я не маленькая девочка, которой надо дарить подарки, когда она больна. Сегодня вечером ты, кажется, собирался не раздавать подарки, а отнимать их. — Рука ее невольно потянулась к горлу. Без медальона Дори чувствовала себя совсем беззащитной и одинокой. — Мисс Ленат еще здесь?

Только сейчас Дори заметила, какой Филип бледный и измученный.

— Нет, Натали уехала почти сразу. Она далеко не глупа и поняла, что я лишь использую ее, чтобы сделать тебе больно. — Филип убрал руку и чуть отодвинулся от Дори. — Натали сказала, что мне это удалось. — Он сел на край кровати спиной к Дори. — Натали была права. Я действительно очень обидел тебя, не так ли?

— Да, — тихо произнесла Дори. — Ты ведь ничего не делаешь наполовину. Мне казалось, что я умираю. А потом я поняла, что лучше действительно умереть, чем терпеть такую боль.

Филип встал и направился к комоду. Взяв там что-то, он вернулся и опустился перед ней на колени.

— Ты могла погибнуть. — Голос его казался приглушенным. — Я чуть не убил тебя.

— Вовсе нет. Я сама сваляла дурака, — возразила Дори. — Не надо было позволять тебе так легко оттолкнуть меня. Я считала себя очень сильной, а сама чуть не умерла от отчаяния, когда ты забрал мой медальон.

— О боже! — вырвалось у Филипа. Подняв с постели руку Дори, он приложил ее к своей щеке. — Я и сам чуть не умер. Или умер — и родился вновь. — Он нежно поцеловал ладонь Дори. — Я собираюсь начать жизнь заново, но не знаю, как это сделать? Ты поможешь мне, Дори?

— О чем ты, Филип? — не веря собственным ушам, прошептала девушка.

— Я пытаюсь сказать, что люблю тебя. Правда, получается это у меня не слишком хорошо, да?

— Ты? Любишь?

— Не знаю, почему ты так удивлена. Ты ведь сама утверждала это.

— Я помню. — Дори была словно во сне. — Но все случилось так быстро. Я должна это обдумать.

— Что ж, но пока будешь думать, пусть он будет с тобой. — Он надел на шею Дори медальон. — Он принадлежит тебе навечно. — Филип хотел застегнуть замок, но Дори остановила его:

— Я не хочу надевать его. По крайней мере сейчас.

— Но почему? — изумленно спросил Филип.

— Не знаю. Мне кажется, я не верю тебе.

— Наверное, я это заслужил. Но мне кажется, я никогда не говорил тебе ничего, кроме правды. Я врал только, когда утверждал, что не хочу тебя.

— Ты действительно никогда не лгал мне раньше. Но ты и не чувствовал себя никогда таким виноватым. Ты вбил себе в голову, будто отвечаешь за то, что случилось со мной сегодня. Это не так, но я вижу, что это потрясло тебя до глубины души.

— Я действительно чувствую себя виноватым, но это не имеет никакого отношения к тому, что я сказал.

— Разве ты не понимаешь? Я не могу в это поверить. — Дори попыталась улыбнуться, но губы ее дрожали. — Мне хотелось бы поймать тебя на слове, но я ведь тоже кое-что поняла этой ночью.

Глаза Филипа потемнели от боли.

— Ты поняла, что не любишь меня больше?

— Нет, любить тебя я буду вечно. Ты — часть меня. — Дори глубоко вздохнула. — Но я поняла кое-что о себе. Я поняла, что мало любить только тебя. Надо хоть немного любить и уважать себя. С тех пор, как мы встретились, я следовала за тобой, словно тень. Мне казалось, что я могу быть счастлива, просто находясь с тобой рядом. На самом деле мне необходимо, чтобы ты любил меня так же сильно, как люблю тебя я.

— Но я действительно люблю тебя.

— Я должна быть уверена в тебе. Я просто не выживу, если обнаружу, что приняла за любовь чувство вины и жалости. Уж лучше я останусь без тебя сразу.

— И что же теперь делать? Я должен пойти убить дракона, чтобы ты поверила в мою любовь?

— Ну, может быть, совсем маленького. — Уголки рта Дори чуть тронула улыбка. — Впрочем, то, что я предложу, скорее всего окажется для тебя куда хуже битвы с драконом. Я прошу тебя подождать. Подождать и убедиться, что ты готов дать мне то, что я даю тебе. Я знаю, как ты обычно добиваешься того, чего хочешь. Твои победы напоминают завоевание Персии Александром Македонским. А я не хочу, чтобы меня покоряли силой. Я хочу сама принять решение.

— Решение уже принято. Я люблю тебя, ты любишь меня. Так зачем терять время? Кто-то говорил мне совсем недавно, что мы не становимся моложе.

— Этот кто-то очень сильно повзрослел за сегодняшний вечер, — серьезно произнесла Дори.

Улыбка исчезла с лица Филипа. Он еще раз поцеловал ладонь Дори.

— Хорошо, я дам тебе время. И обещаю не давить на тебя. Пока что. Но учти — мое терпение не вечно. Две недели — и начнется завоевание. Кстати, мне никогда не нравилась стратегия Александра Македонского. Переход Ганнибала через Альпы был куда более дерзким и оригинальным. — Он поднялся на ноги. — Две недели. А потом мы поженимся и будем жить долго и счастливо.

— Поженимся? — не веря собственным ушам, переспросила Дори.

— Ну да, а как же еще? Я ведь сказал, что люблю тебя, не так ли? — Он посмотрел на медальон, который продолжал держать в руке. — Кажется, в будущем мне понадобится не только амулет, чтобы удержать тебя. Посмотрим, к каким последствиям приведет брачная церемония.

— Если я решу выйти за тебя замуж, — задумчиво произнесла Дори, — то лишь после того, как меня попросят, а не потому что мне приказали.

— Посмотрим. — Филип был, как всегда, уверен в себе. — Вряд ли Ганнибал спрашивал Альпы, хотят ли они, чтобы через их хребты прошло его войско.

— Нет, Филип, — начала было Дори, но ее тут же перебили.

— Не думай, что я пытаюсь тебе угрожать. Через две недели я превращусь в Ганнибала, а пока что я буду... — В глазах его вдруг заплясал озорной огонек. — Я буду твоим наложником.

— Что?!

— А почему нет? Я прекрасно знаю свою роль. Я часто видел, как ее играют другие. Разве тебе не хочется иметь наложника, Дори?

— Прекрати шутить, Филип!

— Но ведь ты сама сказала, что заслуживаешь любви? Так разве плохо будет, если тебе станет служить человек, единственное желание которого — доставлять тебе удовольствие. — Он заглянул в глаза Дори. — Тебе было хорошо в нашу первую ночь? Я знаю, что сделал тебе больно, но ведь ты получила удовольствие?

— Ты прекрасно знаешь...

— Нет, не знаю. Я был словно в огне и не помню ничего, кроме блаженства любить тебя. — Филип крепко сжал в ладони медальон. — Но в следующий раз все будет иначе. Наложник должен думать только об удовольствии своей повелительницы. Я буду внимательно изучать твое лицо, двигаясь внутри тебя...

— Филип!

— Прости, я забыл на секунду, что ты еще больна. Когда ты рядом... — Он озабоченно нахмурился: — Тебе дать снотворное, прежде чем я уйду?

Дори покачала головой:

— А ты уходишь?

Наклонившись, Филип поцеловал ее в лоб.

— Я буду недалеко. За этой дверью, в комнате для наложников. Там мне самое место. И так легче будет бороться с искушением. Я загляну к тебе попозже. — Он горделивой походкой прошел по комнате, сохраняя, несмотря на наготу, поистине царственный вид.

— Филип!

— Да? — Он оглянулся.

Девушка сидела, нахмурившись.

— У меня шла кровь. Я помню, как упала. Ты уверен, что дело ограничилось синяками?

Филип помедлил, прежде чем ответить.

— Ты действительно сильно ушиблась, — сказал он. — Но теперь беспокоиться не о чем. Все будет хорошо. — Он заговорщицки подмигнул Дори. — Слово наложника.

Филип захлопнул за собой дверь и не слышал, как Дори тихонько засмеялась ему вслед.

Первый подарок принесли на следующий день. Это была серебряная ваза такой изысканной ручной работы, что от одного взгляда на нее захватывало дух. В вазе стояли чайные розы.

Рауль поставил ее на столик рядом с кроватью и торжественно-официальным тоном произнес:

— От шейха Эль Каббара. — Затем он нахмурился и добавил: — С наилучшими пожеланиями от вашего наложника.

Подарки сыпались на Дори каждый день: видеомагнитофон с роскошной подборкой лучших фильмов, набор для волос — гребенка и щетка из белого нефрита с цветами из аметистов.

— Ты пытаешься меня поразить? — с улыбкой спросила Дори зашедшего к ней Филипа, после того как ей принесли набор. — Если так, то тебе это удалось. — Она с нежностью провела пальцем по аметистовому узору. — Но мне кажется, ты перепутал роли. Разве наложники дарят подарки?

Присев на кровать рядом с Дори, Филип взял у нее щетку для волос.

— Я смотрю на это шире. Наложник должен доставлять своей госпоже удовольствие. Но ты больна, и значит, я не могу делать это традиционными средствами. Вот я и решил поимпровизировать. Ведь подарки доставляют тебе удовольствие, не так ли?

— Конечно, да, но...

— Это самое главное. Кажется, я весьма преуспел в своей новой роли. — Подложив под спину Дори подушку, он помог ей присесть на постели. — К тому же, делая подарки, я думаю о себе. Тебе ведь известно, какой я эгоист.

Размеренными движениями он стал расчесывать серебристые кудри Дори.

— Я мечтал об этом с того самого момента, как выписал из Рима этот набор. Обожаю твои волосы. Они такие мягкие, такие живые. — Он запустил пальцы свободной руки в густую копну волос. — Тебе нравится, когда я их касаюсь?

Дори сидела, полуприкрыв глаза. Если бы она была котенком, то замяукала бы сейчас от удовольствия.

— Это просто чудесно, — пробормотала она, улавливая легкий запах трав и свежего ветра, исходивший от Филипа.

— Ты скакал сегодня на Эдипе?

— Да. — Щетка нежно гладила ее голову. — Он по-прежнему такой же темпераментный. Пытался пробежать под низкой веткой. В результате меня вышибло из седла. Каждая прогулка на Эдипе — настоящее испытание.

— Просто он сильная личность, — возразила Дори. — И любит, чтобы наездник был начеку.

— А по-моему, ему просто нравится скидывать каждого, кто посмел на него забраться. Кстати, как ты себя чувствуешь?

— У меня все болит. — Дори поморщилась. — Непонятно почему, но я все время засыпаю. Наверное, это последствия шока.

— Наверное. — Филип нежно поцеловал ее в шею. — Думаю, это скоро пройдет. Отец заходил осмотреть тебя?

Дори покачала головой:

— Меня каждый день осматривает его ассистентка и докладывает ему результаты.

— Тебя обижает, что он до сих пор не пришел?

Дори задумалась, прежде чем ответить.

— Пожалуй, нет, — медленно произнесла она. — Кажется, я смирилась с тем, что представляет собой мой отец. — Она неуверенно рассмеялась. — Давно пора, не правда ли?

— Конечно. — Филип на секунду замолчал. — Кстати, я получил от своих детективов более подробное досье на несравненную Пандору. Прочел с большим интересом.

— Правда? — Дори прислонилась спиной к сидящему сзади Филипу. — Тебе никогда не казалось, что подобный интерес к моему темному прошлому не вполне здоровое явление?

— Темное прошлое, — усмехнулся Филип. — Бедная обнищавшая рок-звезда, чья любовь к роскоши толкнула ее на путь порока.

— Но я действительно разорена. Думаю, что тебе это известно.

— Да, твой банковский счет пуст. Денбрук выяснил это сразу. Но ему потребовалось время, чтобы узнать, куда же делись деньги.

— Правда? А мне казалось, что ты хвалил его работу?

— Денбрук поначалу не там искал. Оказывается, ты перечислила весь доход за прошлый год фонду помощи Эфиопии. А в позапрошлом году построила приют для бездомных животных.

— Я люблю животных, — просто сказала Дори. — И мне не нужны были деньги. Я ведь постоянно переезжала с места на место.

— И поэтому ты все раздала. А потом послала к черту свою карьеру, чтобы приехать в Седихан. — Филип говорил сердито, почти грубо. — У тебя что, нет инстинкта самосохранения?

— Раньше не было, — тихо сказала Дори. — Но ты многому меня научил.

— Я знаю, — произнес Филип срывающимся голосом. — Мои уроки даются нелегко, не так ли?

Дори ничего не ответила. Слишком свежа была рана, нанесенная ей в тот вечер, о котором шла речь. Жестокость Филипа до сих пор казалась ей чем-то непостижимым. И она не собиралась его утешать.

Филип спустил с плеча девушки бретельку ночной рубашки и нежно поцеловал шелковистую кожу.

Дори наслаждалась спокойствием и блаженной негой, удивляясь про себя тому, как могут существовать подобные чувства рядом с испепеляющей страстью, которую пробуждал в ней Филип.

— Филип, мне кажется...

— Все в порядке. — Пальцы его гладили шею Дори. — Мы просто поиграем немного. Я ведь знаю, что ты еще недостаточно поправилась, чтобы...

— Я помню, как ты «поиграл» со мной последний раз. — У Дори перехватило дыхание.

— Тогда все было иначе. Моей целью было поскорее тебя завоевать. А сейчас главное — доставить тебе удовольствие. Совсем немного, чтобы ты не испытывала боль неудовлетворенного желания, как я все эти дни.

— Так ты мучился все это время? — Дори овладело чувство вины. Она понимала, что Филип — страстный, темпераментный мужчина, и все же разрешала ему ухаживать за ней, подобно горничной. Филип купал ее, помогал добраться до постели, развлекал рассказами, шутками.

— Может быть, ты пришлешь кого-нибудь помогать мне. А через несколько дней я уже буду в порядке.

— Но мне нравится делать это самому. — Филип снова принялся расчесывать ее волосы. — Наверное, я нахожу в этом некое мазохистское удовольствие. Эти муки — моя кара, что-то вроде власяницы.

— Что ж, тогда мне нечего за тебя беспокоиться. Во власянице нет ничего эротичного.

— Откуда ты знаешь? — Филип легонько пощекотал губами шею Дори. — Что угодно может быть эротичным, смотря как это использовать. — Он сжал Дори в объятиях. — Когда я заказывал ювелиру щетку для волос, то попросил, чтобы щетинки были мягкими и нежными, как твое тело.

Дори почувствовала, как прижимается к ней сзади его сильная грудь, ощутила кожей его горячее дыхание.

Он вставил в магнитофон кассету и включил телевизор.

— Пожалуй, вот это тебя займет. Тут есть несколько кассет с эротикой, но их мы лучше посмотрим вместе. Интересно будет узнать, возбуждают ли тебя такие вещи.

— Думаю, с этим нам лучше подождать, — сухо ответила Дори.

Платье принесли за день до того, как истекало объявленное Филипом перемирие. Открыв коробку, Дори обратила внимание на необычный цвет. Багровая парча словно излучала тепло, сияя, как драгоценный камень.

Покрой платья был достаточно простым. Вырез и длинный рукав выглядели вполне целомудренно, но лиф так плотно облегал грудь, что сквозь ткань проступали соски. Юбка платья ниспадала мягкими складками почти до пола.

Дори взяла карточку, лежавшую поверх платья.

— Это точная копия свадебного платья древних бедуинов. Правда, я велел сшить его из парчи, хотя традиционно для этого использовали шерсть. Надень его сегодня. Думаю, парча пойдет тебе не меньше шелка и бархата.

Дори с улыбкой приложила к себе платье, которое уже успела примерить и снять. Парча была мягкой и приятной на ощупь.

Она улыбнулась при мысли, что сегодня ее вновь коснутся его нежные пальцы. Эти две недели прошли, словно во сне. Филип был так нежен с ней. И вот сегодня они снова будут любить друг друга. Это будет так

Филип спустил ночную рубашку с ее плеч, обнажив грудь, и провел щеткой по одному из сосков. Мягкие щетинки коснулись чувствительной кожи. Дори невольно задержала дыхание. Он снова провел щеткой по соску, заставив Дори изогнуться и застонать от удовольствия. Затем его длинные сильные пальцы сжали ее левую грудь.

— Сердце твое бьется, словно птица. — Поцеловав девушку в висок, он вернул на место ночную рубашку. — Я пошлю ювелиру дополнительное вознаграждение. — Отложив щетку, он снова заключил Дори в объятия и стал баюкать ее, точно ребенка. — А теперь расслабься. — Страсть уступила место нежности. — Я очень люблю тебя.

— Я не хочу с тобой расставаться, Филип. Никогда. Она почувствовала, как напряглось его тело.

— А мы и не расстанемся с тобой, Дори, — сказал он. — Прекрати даже думать об этом. — Он обнял ее покрепче, а затем вдруг разжал руки и встал.

— Уже уходишь? — разочарованно спросила девушка.

— Наверное, так будет лучше. Мне предстоит еще научиться терпению. А то так и хочется немедленно начать переход через Альпы. Я отлучусь на часок. Надо проверить, как идут ирригационные работы. Рауль будет заглядывать к тебе время от времени.

— А когда ты вернешься? — спросила Дори. — К обеду?

— Ни за что не пропущу обед в твоем обществе. — Лицо его озарилось улыбкой. — Жди меня. Хочешь поспать или поставить тебе какой-нибудь фильм?

— Лучше фильм. Что-нибудь веселенькое.

～ 129 ～

же прекрасно, как в первый раз. Дори почувствовала пьянящий восторг, как перед прыжком с парашютом, когда перед тобой огромное небо во всем своем великолепии, а за бортом самолета — неизвестность. Филип наверняка подготовился к наступлению.

Что ж, пора покинуть страну сладких грез и вернуться в мир реальности. Дори закружилась перед зеркалом, продолжая прижимать к груди платье.

Филип не пришел обедать. Дори стояла на балконе, тщетно пытаясь унять волнение, когда услышала, как тихонько открылась и закрылась дверь.

— Дай мне взглянуть на тебя.

Дори резко обернулась. Возле двери стоял Филип, одетый во все белое. Белые брюки облегали его стройные ноги, а рубашка была сшита из какого-то мерцающего в темноте материала.

— На балконе очень темно. Не могу разглядеть тебя как следует.

— Я уже стала сомневаться, придешь ли ты, — тихо произнесла Дори, делая шаг в его сторону. — Ты не вышел к обеду.

— Если бы я пришел обедать, боюсь, мне очень быстро захотелось бы выкинуть с балкона поднос с едой.

— Мне тоже, — призналась Дори.

Филип удивленно посмотрел на нее.

— Ты действительно ждала сегодняшнего вечера? А я боялся, что ты подумаешь, будто я тебя тороплю.

— Ну если только немного. — Дори лукаво улыбнулась. — Вообще-то прибытие Ганнибала назначалось на завтра.

— Так оно и есть. — Филип увлек Дори в комнату. —

Сегодня ночью я все еще твой наложник. Подожди, я включу свет.

В своем белом одеянии Филип напоминал призрак. Но вот спальню залил неяркий свет ночника. Несколько секунд Филип молча смотрел на Дори.

— Да, — сказал он. — Именно такой я и представлял тебя в этом платье. Цвет красного вина и серебро твоих волос. Что может быть красивее?

— Мне тоже нравится! — призналась Дори. — В нем я чувствую себя принцессой.

— Любая невеста чувствовала бы то же самое. — Филип подошел к девушке. — Это ведь свадебный наряд, Дори. — Он взял в ладони ее лицо. — Так почему нам этим не воспользоваться? Мы могли бы пожениться сегодня вечером. Давай полетим в Марасеф и покончим с формальностями. Ты ведь знаешь, что все равно станешь моей женой.

Филип был так близко. Она чувствовала свежий запах мыла и одеколона. Руки его уже скользили по ее плечам, сжимая парчу.

— Разве ты мало меня мучила?

— Я не стала бы играть в такие игры. Просто мне очень важно быть в тебе уверенной.

— Да, я знаю. Хотя лучше бы мне этого не знать. — Он вдруг подхватил девушку на руки и понес к кровати. Опустив Дори на постель, Филип посмотрел на нее сверху вниз смеющимися глазами. — К утру я дойду до того, что готов буду силой вырвать у тебя обещание стать моей женой. — Он расправил волны багровой парчи вокруг Дори. — Но скорее всего этого не потребуется.

Я буду таким страстным наложником, что ты сама не отпустишь меня.

— Этого не так сложно добиться. Я и сейчас хочу быть с тобой.

— Вот видишь, как все просто. Значит, с этой минуты мы вместе. А теперь повернись, дорогая.

Дори повернулась на живот. «Молния» была мгновенно расстегнута, и прохладный воздух коснулся ее обнаженной спины.

— Господи, как красиво! — Филип не сводил с нее восхищенного взгляда.

— Я говорила тебе, что не умею играть в игры.

— Тогда мне придется тебя научить. Некоторые игры доставляют истинное удовольствие. Думаю, тебе понравится.

Губы Филипа коснулись ее обнаженной спины, и у нее перехватило дыхание.

— Не кажется ли тебе, что ты применяешь запрещенный прием?

— Но тебе ведь нравится. — Губы Филипа продолжали ласкать ее нежную кожу. — Скажи, что тебе нравится больше всего? — Он легонько укусил Дори.

— Ты обедал, не так ли? Я не рискую быть съеденной?

— Я не мог есть весь день. — Филип заговорил вдруг серьезно. — И не спал всю предыдущую ночь. Иногда мне кажется, что я никогда больше не смогу ни есть, ни спать без тебя. — Руки его продолжали гладить спину Дори. — Для меня все это очень серьезно.

Приподняв Дори, он перевернул ее на спину и снова уложил поверх багровой парчи.

— Так ты не будешь меня соблазнять? — тихо спросила она.

— Я стараюсь изо всех сил. — Взгляд его скользил по телу девушки, пока не остановился наконец на золотистых волосах внизу живота. — Ни с одной женщиной мне не было так трудно и так прекрасно. — Он потерся щекой о теплый бархат ее кожи. Дори невольно вздрогнула, и пальцы ее буквально впились в плечи Филипа. — Раньше я всегда играл в страсть. Мне отвечали столь же мастерской игрой. Но с тобой... Мне так хочется, чтобы тебе было хорошо, и я все время боюсь, что мне не удастся доставить тебе истинное удовольствие.

Сердце Дори бешено колотилось в груди, а внизу живота стало вдруг горячо.

— Для меня это тоже кое-что значит, — прошептала Дори. — Филип! — вскрикнула она, когда он припал поцелуем к самому интимному месту.

— Ты такая сладкая, — шептал Филип, обнимая Дори. — Я готов целовать каждый сантиметр твоего тела.

Пальцы ее продолжали сжимать плечи Филипа, впиваясь в тонкий шелк белой рубашки. Язык Филипа снова коснулся самого чувствительного места, и Дори, вскрикнув, приподнялась ему навстречу.

— Нет ничего прекраснее твоих стонов.

Он поцеловал руку Дори, продолжавшую сжимать его рубашку. Потом вдруг резко встал и рывком поднял ее на ноги. Не обращая внимания на смущение девушки, Филип потащил ее за собой в соседнюю комнату — в спальню наложниц.

— Филип, я не понимаю...

Они стояли перед огромным зеркалом, установленным вдоль одной из стен. Лампы были погашены, и свет проникал лишь из соседней комнаты. Дори изумленно смотрела на собственную обнаженную фигуру рядом с одетым Филипом.

— Я помню, как возбудила тебя в гримерной сцена перед зеркалом, — пояснил он. Руки его обвили ее талию, затем скользнули ниже, лаская живот. — Когда установили зеркало, я лежал в постели и представлял, как твоя прекрасная нагота отразится в нем. Знаешь, что со мной творилось от этих мыслей? — Наклонившись, Филип зашептал в самое ухо Дори: — Мне так хотелось ворваться к тебе, погрузить свою возбужденную плоть в твое мягкое лоно и остаться там навсегда. Я мучился каждую ночь. — Филип принялся расстегивать рубашку. Дори не могла отвести взгляд от желанного тела. Она подумала, как отличается картинка в холодном зеркале от того, что происходит между ними на самом деле. Никогда в зеркале не отразится та страсть, которую они испытывают друг к другу.

— Какая ты красивая! — Загорелая рука Филипа сжала и чуть приподняла ее грудь. Большим и указательным пальцем он сжал ее напрягшийся сосок. — Он прекрасен, этот розовый бутон!

— Так можно заболеть нарциссизмом, — пошутила Дори, прижимаясь спиной к груди Филипа. — Признаюсь, я немного смущена.

Филип быстро сбросил с себя рубашку.

— Тебя смущает мой вид?

— Нет. — Фигура Филипа отражалась бронзовой тенью за ее спиной. — Мне нравится на тебя смотреть.

— Тогда нам лучше оказаться на равных. — Руки его быстро расстегивали ремень на брюках. Дори смотрела, точно зачарованная. — Вот теперь мы в одинаковом положении. Так лучше, не правда ли?

Горячие волны возбуждения омывали Дори, а руки Филипа между тем ласкали ее тело. Дыхание его стало порывистым. Она чувствовала, как прижимается к ней его возбужденная плоть, а грудь тяжело вздымается за ее спиной. Руки его вдруг неожиданно замерли, по телу пробежала дрожь.

— Я зашел слишком далеко, — прошептал он. — Я не могу больше ждать.

— Тогда не жди! — Голос ее дрожал, все тело горело, словно в лихорадке. — Пойдем... в постель.

Из горла Филипа вырвался странный звук, похожий на рычание.

— До постели далеко. — Он развернул Дори к себе, подхватил на руки и раздвинул колени. Дори обвила ногами его упругие ягодицы.

— Держись, — прохрипел Филип, входя в нее резким, сильным движением.

Дори вскрикнула, впиваясь ногтями в его плечи. Филип продолжал двигаться, проникая все глубже.

— Ближе, — шептал он. — Я хочу, чтобы ты была еще ближе, хоть это и невозможно. — Дори с трудом сдерживала стон. Филип вдруг поднял глаза и посмотрел в зеркало.

— Моя. Ты моя! — повторял он, не останавливаясь. — Оставайся моей навсегда.

— Да, — шептала Дори, погружаясь в волны блаженства. Ей хотелось, чтобы это продолжалось вечно.

— Ты будешь принадлежать мне всю жизнь. — Губы его жадно впились в губы Дори, язык властно проник в ее рот.

Он завоевывал ее, точно крепость. Теперь он навсегда овладел этой женщиной. Она стала его частью.

Филип поднял голову, переводя дыхание.

— Никогда тебя не отпущу.

Крепче сжав Дори в объятиях, Филип повернулся и медленно направился к постели.

— Тебе понравилось? Я знал, что тебе понравится. — Он присел на край кровати, руки его скользили по спине Дори. — Ты всегда любила прокатиться верхом.

Он лег, положив руки на бедра девушки, и вновь вошел в нее. Не сводя глаз с лица Дори, он жадно ловил каждый ее стон.

Возбуждение Дори достигло предела...

— Никто не может сравниться с тобой!

Ладони Филипа накрыли ее груди.

— Теперь держись, любимая. Сейчас мы возьмем барьер.

У Дори закружилась голова, и она забыла обо всем на свете. Вместе с Филипом они отправились в чудесный полет. Восторг переполнял их, поднимая все выше. В это мгновение им принадлежал мир.

Дори очнулась на груди у Филипа. Сердце его билось так сильно, что, казалось, выскочит из груди.

— С тобой все в порядке? — спросила она.

Филип рассмеялся.

— Это я должен спросить тебя об этом. — Он нежно

поцеловал девушку. — Со мной все в порядке. Лучше не бывает.

— Не сомневаюсь, что ты говоришь искренне, но звучит это очень нескромно.

Дори попыталась освободиться из его объятий.

— Пусти меня. Тебе, наверное, тяжело?

— Нет. — Филип лишь крепче сжал руки. — Оставайся вот так навсегда.

— Тебе будет немного неудобно. — Склонившись над Филипом, Дори поцеловала его в губы. — Хотя я была бы не против.

— Надо подумать над этим. — Филип повернулся на бок, не отпуская Дори. — Наверняка должен существовать способ...

Дори положила голову ему на плечо. Чувство сладостного удовлетворения было не менее прекрасно, чем минуты страсти, которые они только что пережили.

— Я хочу быть рядом, — призналась Дори. — Если я засну, ущипни меня, пожалуйста. Я хочу наслаждаться каждым моментом этой ночи.

Филип почувствовал вдруг такую нежность, что к горлу подступили слезы. После падения с лошади Дори сильно изменилась — стала сдержанной и немного замкнутой. Но продолжалось это не очень долго. Терпение и нежность Филипа вернули прежнюю Дори — живую и непосредственную.

Он нежно поцеловал девушку в макушку.

— Я отказываюсь тебя щипать, но обещаю, что найду способ не дать тебе уснуть. Я знаю много способов, и все они очень приятные.

— Звучит заманчиво, но тебе придется поторопиться. Я что-то очень быстро засыпаю последнее время. Наверное, мне надо пить витамины.

— Я засыплю тебя витаминами, когда мы вернемся завтра из Марасефа. — Он погладил пальцем складочку между бровей Дори, словно расправляя ее.

— Ты умеешь выбрать момент, — похвалила она Филипа. — Сейчас я полетела бы с тобой хоть на Луну.

— Вполне сойдет и Марасеф. Как только проснемся утром, Рауль распорядится насчет самолета.

— Мне кажется, что меня уже начали завоевывать.

— Это не завоевание. Я покоряю тебя. Неужели ты не видишь разницы? И ты не можешь не признать, что сегодня мне это удалось.

— Да, тебе удалось соблазнить меня, — согласилась Дори. — Но секс — это еще не любовь.

Взяв Дори за подбородок, Филип поднял ее голову, чтобы видеть глаза любимой.

— Ты знаешь не хуже меня, что сегодня мы занимались любовью, а не просто сексом. Если ты и теперь не веришь, что я тебя люблю, то что заставит тебя поверить в это через неделю, через месяц, через год? Почему ты не хочешь признать...

— Хорошо.

Филип нахмурился:

— Что хорошо?

— Хорошо, я выйду за тебя замуж. И Марасеф — чудесное место для свадьбы. Я надену свой багровый наряд и...

Филип зажал ей рот поцелуем, а когда он поднял голову, глаза его светились, словно лазурный океан в тихую погоду.

— Ты не пожалеешь об этом. Я обещаю, что ты никогда об этом не пожалеешь.

— Мне тоже так кажется.

Последние две недели Дори запретила себе надеяться, чтобы вновь не испытать разочарование. Но сейчас она чувствовала себя так, словно в душе у нее расцвели цветы.

— О, Филип. Я так люблю тебя! — Она крепко обняла его и стала осыпать поцелуями щеки, губы, шею. — Знаешь, чего мне сейчас хочется? Покачаться на качелях, закружиться в танце, запеть...

— Кажется, тебе не нужны витамины, — рассмеялся Филип. — Они могут понадобиться мне, чтобы за тобой угнаться. Я не могу немедленно предоставить тебе качели, но постараюсь найти им достойную замену.

— Какую замену?

— Я готов снова угождать моей требовательной госпоже.

Улыбнувшись, Дори устроилась поудобнее у него на плече.

— Что же ты сразу не сказал? Это гораздо интереснее качелей и танцев. Что мы будем делать на этот...

Филип закрыл ей рот поцелуем.

Глава 9

На следующий день часов около пяти к резиденции шейха Эль Каббара подъехал лимузин. Жара была невыносимой, как всегда в это время дня, но Дори едва ее замечала.

— А Рауль знает, что я теперь буду его постоянной заботой? — Она выпрыгнула из машины, прежде чем шофер успел раскрыть перед ней дверцу. — Ты не боишься, что он немедленно попросит расчет? Это было бы ужасно, правда? Ты тогда сразу захочешь со мной развестись? — Филип вышел из машины, и Дори тут же оказалась в его объятиях. — Как это мило со стороны Алекса и Сабрины — устроить прием в нашу честь. Они такие чудные, правда?

— С тех пор, как мы отправились в Марасеф, ты не замолкала ни на минуту, — рассмеялся Филип.

— Просто я счастлива. Так счастлива! Весь мир крутится вокруг меня, точно карусель.

Несколько секунд Филип молчал, прижавшись щекой к виску Дори.

— Этот мир принадлежит тебе, дорогая. Я сделаю все, что ты пожелаешь. Чего ты хочешь, Дори?

— У меня есть все. Чего еще я могу хотеть? — Дори вдруг скорчила забавную гримаску. — Может быть, благословения Рауля. Ты сказал ему, что мы едем сочетаться браком?

Филип сделал шоферу знак, что он свободен, и взял Дори под локоть.

— Да, — кивнул он. — И, представь себе, он не попросил расчета. Напротив, сказал, что привык к тем маленьким катастрофам, которые тебя окружают, и не оставит меня в трудную минуту. Наверное, Рауль воспринимает тебя как испытание, посланное ему богом.

— Я нравлюсь ему, — жизнерадостно заметила Дори. — А ко всей этой кутерьме он со временем привыкнет. — Она вдруг остановилась перед самой дверью, озадаченно нахмурившись. — Ты ведь не хочешь, чтобы я изменилась? Или теперь, когда я стала хозяйкой твоего дома, мне следует превратиться в чопорную леди?

— Ты? В чопорную леди? Это исключено.

— Неужели я так ужасно себя веду? Я не хотела бы осложнять твою жизнь. Может быть, мне...

Филип поднял руку, призывая ее к молчанию.

— Даже не пытайся. Как и Рауль, я успел привыкнуть жить на гребне урагана. После нескольких недель в твоем обществе обычная размеренная жизнь показалась бы мне скучной. Кстати, — он хитро улыбнулся, — если хочешь, можешь приносить змей в мою гостиную.

— Я давно хотела поговорить с тобой о Белдаре и Ханар. Мы могли бы...

В этот момент распахнулась дверь.

— Ты снова спас меня, Рауль, — тихо сказал Филип. — Но, я думаю, ненадолго.

На лице Рауля играла дружелюбная улыбка.

— Примите мои искренние поздравления. Я приказал охладить шампанское. Мне показалось, что это будет весьма кстати.

— Спасибо, Рауль, — улыбнулась Дори. — Шампанское действительно будет кстати. Видишь, я тоже знаю, как надлежит себя вести в подобных случаях.

— Знать и выполнять — разные вещи, — улыбнулся Рауль. — Но жена шейха Эль Каббара может устанавливать свои собственные правила. Теперь вам решать, что надлежит делать обитателям этого дома. — Дворецкий вежливо поклонился. — Где угодно будет отобедать — в спальне или в столовой?

— Ни там и ни там. — Она умоляюще посмотрела на Филипа. — Давай устроим пикник в горах. Не могу больше сидеть взаперти. Я не выходила из дома целые две недели.

— Почему бы и нет? — улыбнулся Филип. Отпустив локоть Дори, он обратился к Раулю: — Приготовь еду для пикника и вели оседлать лошадей. Как ты думаешь, дорогая, нам стоит переодеваться?

— Тебе очень идет белое. — Дори окинула восхищенным взглядом фигуру мужа. — Мне не хотелось бы, чтобы ты снимал этот костюм.

Филип посмотрел на нее голодным взглядом.

— А мне, напротив, хотелось бы снять его как можно скорее.

Рауль смущенно отвернулся.

— Я распоряжусь, чтобы все приготовили, — выдержав паузу, сказал он. — Прошу меня извинить, я совсем забыл. В кабинете первой помощи вас больше часа ожидает доктор Мадхен.

Дори почувствовала, как насторожился стоящий рядом Филип, и посмотрела на него с благодарной улыбкой. Как это мило с его стороны — так беспокоиться о ее настроении. Но сегодня ее не способна расстроить даже встреча с отцом.

— А ты сказал ему, зачем мы ездили в Марасеф?

— Конечно. Я даже пытался объяснить ему, что сейчас не самое удобное время для осмотра, но он настаивал. Завтра доктор уезжает отдыхать в Мюнхен, и ему надо завершить все дела.

— Что ж, не стоит нарушать его расписание, — беззаботно произнесла она. — Пусть осмотрит меня, если это необходимо. Тогда скажите конюхам, чтобы лошадей приготовили на полчаса позже.

— Ты не должна идти у него на поводу, — тихо заметил Филип. — Я пойду и скажу ему, что сейчас не время. Осмотрит тебя, когда вернется из отпуска.

Дори покачала головой.

— Лучше я скажу ему, что у меня нет сейчас времени для полного обследования. Может быть, увидев, как отлично я выгляжу, он ограничится беглым осмотром. — Дори улыбнулась. — Все будет хорошо. Ведь сегодня ты подарил мне весь мир. Встретимся в спальне.

Карл Мадхен сидел за столом с чашкой чаю в руке и изучал какой-то медицинский журнал. Появление Дори было встречено полным равнодушием.

— Добрый день, Пандора. Садись в кресло. Я только дочитаю абзац и приступлю к осмотру.

Карусель счастья и радости, на которой она кружилась целый день, вдруг замедлила свой бег.

— Конечно, папа, не стоит торопиться.

Дори поудобнее устроилась в кресле и стала осматривать кабинет. Он показался ей каким-то совершенно безжизненным, стерильным, и Дори почувствовала себя неуютно.

Доктор Мадхен встал из-за стола и подошел к креслу.

— Очень красивое платье, — сказал он. — Но боюсь, тебе придется его снять. Я хочу осмотреть тебя как можно тщательнее, так как меня не будет больше месяца. — Он вынул из ящика стетоскоп. — Моя ассистентка доложила мне, что ты ни на что не жалуешься.

— Так и есть. Я чувствую себя прекрасно. Так что нет необходимости в подробном осмотре. Я просто пришла сказать тебе, что со мной все хорошо. — Дори выдержала паузу. — И принять твои поздравления. Я вышла сегодня замуж.

— Рауль сказал мне. Поздравляю. Блестяще проведенная операция. Никогда бы не подумал, что ты способна продумать и осуществить столь хитроумный план.

Карусель вращалась все медленнее и медленнее.

— Хитроумный план?

— У тебя ничего не болит? — Взяв руку дочери, доктор послушал пульс. — Кровотечений не было?

— Нет, все прекратилось в первую же ночь после падения.

— Вялость? Тошнота?

— Тошноты нет. А вот слабость... Скорее даже не слабость, а какая-то постоянная сонливость. Я хотела попросить у тебя витамины.

— Конечно. У меня есть неплохой запас витаминов. Но и без них твоя сонливость скоро пройдет.

— Мне казалось, что я преодолела последствия шока.

— Так оно и есть. Ты полностью оправилась после падения с лошади. А сонливость и слабость — это все из-за ребенка.

— Ребенка? — медленно переспросила Дори.

Доктор Мадхен извлек из ящика аппарат для измерения давления.

— В течение следующего месяца тебя может тошнить по утрам. Это обычное явление на втором и третьем месяцах беременности. Я оставлю тебе таблетки от тошноты. Вообще я бы хотел осмотреть тебя как следует. Шейх Эль Каббар очень озабочен безопасностью ребенка, которого ты носишь. Мне не хотелось бы, чтобы он решил, что я пренебрегаю своими обязанностями.

Карусель со скрежетом остановилась. Впрочем, это не имело уже ровно никакого значения.

— Филип был озабочен?

— Конечно. — Не глядя на дочь, доктор закатал рукав ее платья. — Мы ведь оба знаем, какой он великий собственник. Разумеется, шейх беспокоится о своем первом ребенке. Ведь он может стать его наследником. А почему, ты думаешь, он так срочно женился на тебе? Только затем, чтобы ребенок родился в законном браке!

Дори стало трудно дышать.

— Да, действительно, я не вижу других причин, — тихо произнесла она, с удивлением отмечая, что голос ее почти не дрожит.

Мадхен застегнул рукав аппарата на ее руке.

— Очень умно придумано — сыграть на его инстинкте собственника, чтобы добиться своего. Я удивился, услышав, что шейх решил...

— Заткнись! — Она сорвалась на крик. — Я не хочу слышать это! — Дори вскочила с кресла, на ходу срывая аппарат. — Уезжай в свой Мюнхен! Уезжай хоть к чертовой матери! Мне все равно. Только подальше от меня!

Дори бросилась прочь из этой комнаты, где разлетелось только что на куски ее хрупкое счастье. Весь мир стал черным и безжизненным. Ничего не видя перед собой от слез, Дори бежала по коридору, пока не наткнулась на Филипа.

— Эй! Опять сшибаешь все на своем пути! — воскликнул шейх, заключая Дори в объятия, но тут же осекся, увидев ее лицо.

— Черт бы тебя побрал, Филип Эль Каббар! Я готова тебя убить! — Она вырвалась и побежала прочь.

Руки Филипа непроизвольно сжались в кулаки. Пробормотав проклятие, он открыл дверь медицинского кабинета.

— Вы сказали ей! — Филип едва сдерживал ярость. — Черт побери, почему вы сказали ей?

— Это получилось случайно. Я не сомневался, что она уже знает. — Мадхен поправил очки. — Прошло уже две недели, и я был уверен, что вы так или иначе обсуждали факт ее беременности. А как еще могла она убедить вас жениться на ней?

— Убедить меня? — Филип едва сдерживал желание наброситься на мерзавца с кулаками. — Я ничего не сказал Дори. Я собирался сделать это в ближайшие дни. Но вы все испортили!

— Мне очень жаль. Уверяю вас, если бы я знал...

— Вы не способны даже на сочувствие, Мадхен, — процедил сквозь зубы Филип. — Убирайтесь вон из Седихана. И не на месяц, а, как минимум, на полгода. — Он повернулся и направился к двери. — Может быть, через полгода я смогу смотреть на вас спокойно. Если смогу...

Когда Филип вошел в спальню, Дори собирала чемодан. Она даже не подняла головы. Девушка успела переодеться в джинсы и желтую кофточку. Платье из багровой парчи было небрежно брошено на кровать.

— Прекрати! — сказал Филип. — Ты никуда не поедешь!

— Не беспокойся, я не возьму с собой твои дорогие

подачки! — резко оборвала его Дори. — Я забираю только то, с чем пришла сюда. — Присев на кровать, Дори стала надевать кроссовки.

— Ты никуда не поедешь! — угрюмо повторил Филип. Только сейчас Дори заметила, что он сменил свой белый костюм на брюки для верховой езды и черный свитер.

— Еще как уеду! — Завязав шнурки, Дори встала. — Если ты не разрешишь мне воспользоваться твоим самолетом или твоим автомобилем, я уйду пешком. — Закрыв крышку чемодана, она защелкнула замок. — Или поеду автостопом.

— Я понимаю, что ты расстроена. Но, может быть, все-таки выслушаешь меня? — Филип подошел к Дори. — Не знаю, что именно сказал тебе твой отец, но уверен, что он, как всегда, не выбирал выражений. У него настоящий талант изображать все в самом извращенном виде.

Дори резко повернулась к Филипу. Щеки ее горели лихорадочным румянцем.

— А ему и не надо было ничего изображать. Он просто изложил факты. У меня будет ребенок. Как жаль, что ни один из вас не потрудился сообщить мне об этом раньше.

— На то были свои причины. И если ты успокоишься, я все тебе объясню.

— Я знаю, что это за причины. Ты знал, что я ношу под сердцем твоего ребенка. Поэтому ты не мог позволить мне уехать. Это противоречило бы всем твоим принципам.

— Ты сама не знаешь, что несешь, — грубо перебил ее Филип.

— Разве? — В улыбке Дори было столько горечи, что у Филипа сжалось сердце. — Мне все время казалось, что ты как-то неожиданно переменился. Ты был слишком хорош, чтобы поверить в твою искренность. Но мне так хотелось верить, что я позволила себя убедить. Ты неплохо умеешь убеждать, Филип. Я проглотила твою ложь.

— Но я не лгал тебе! — процедил он сквозь зубы. — Не лгал и не лгу. Я просто не сказал тебе всей правды. Я все время собирался, но боялся, что ты отреагируешь именно так, как ты отреагировала.

— И ты решил укрепить свои позиции, прежде чем открыть мне свой секрет! А тебе не приходило в голову, что я имела право узнать о ребенке, прежде чем выйду за тебя замуж.

— Приходило. Но я слишком боялся твоего отказа. Я не хотел рисковать.

— И правильно делал. Я никогда не вышла бы за тебя. — Руки ее непроизвольно сжались в кулаки. — Ты не имел права так жестоко обманывать меня, Филип.

— Наверное, ты права. Но что сделано, то сделано. Ты, что же, собираешься сбежать к своей рок-группе и начать дело о разводе?

— Да. Я постараюсь освободиться от тебя как можно скорее.

— Нет! — властно произнес Филип. — Не будет никакого развода. И никуда ты не поедешь.

— Ошибаешься! Удержать меня ты сможешь только силой, бросив, например, в подвал.

— В этом нет необходимости. Темница сырая и грязная. Ею не пользовались лет двести. Думаю, сойдет и домашний арест. Я даже разрешу тебе ходить на конюшню, если ты пообещаешь больше не ездить верхом.

Дори недоверчиво посмотрела на Филипа.

— Ты шутишь?

— Напротив — серьезен, как никогда. — Он печально улыбнулся. — Ты сказала мне как-то, что я очень похож на своего отца. Наверное, ты права. Он посадил мою мать под домашний арест до самого момента моего рождения. И я, если понадобится, сделаю то же самое.

— Ты просто варвар, — прошептала Дори.

— Ну, ты ведь всегда это знала. Так что нечего удивляться. Я не позволю тебе уехать. Когда успокоишься, поговорим об остальном.

— Мы уже обо всем поговорили.

— Говорила только ты. А я был лишен возможности защищаться. — Филип отвернулся. — Я велю Раулю оповестить слуг, что тебе запрещено покидать пределы усадьбы. В доме и во дворе будет расставлена стража. Но никто не посягнет на твою свободу, если ты не будешь пытаться покинуть территорию. Когда будешь готова выслушать мои объяснения, пошли за мной. Я постараюсь дать тебе время подумать, но не знаю, надолго ли меня хватит. Мне тоже больно. Я тоже живой, черт побери!

Дори смотрела ему вслед. Он действительно посадил ее под арест! Она слышала за дверью голос Филипа. Он отдавал распоряжения своим слугам. Не пройдет и пятнадцати минут, как кругом будет расставлена стража.

Дори быстро подбежала к бюро, взяла свой паспорт

и бумажник, засунула то и другое в карманы джинсов. Выбежав на балкон, она перелезла через перила. До земли было всего шесть-семь футов. Удачно приземлившись на ноги, Дори быстро побежала к конюшне.

Глава 10

Эдип пасся в задней части загона. Дори перемахнула через изгородь и осторожно, чтобы не напугать лошадь, стала подбираться поближе.

— Эдип, — тихонько позвала она. — Это я, не пугайся. Мы ведь с тобой заодно, помнишь? Подойди ко мне.

Эдип не обращал на нее внимания. Это уже хорошо. Значит, сегодня он не слишком агрессивен.

— Держись от него подальше, Пандора!

Дори испуганно оглянулась и увидела, как Филип перепрыгивает через изгородь.

Быстро подбежав к скакуну, Дори в одну секунду оказалась у него на спине и крепко сжала коленями его бока. Эдип встал на дыбы так резко, что, казалось, они вот-вот опрокинутся вместе назад.

— Немедленно слезай! — Филип в несколько прыжков оказался рядом. — Слезай, черт побери!

— Нет! — дерзко прокричала в ответ Дори. — Я уеду отсюда. Эдипа верну, как только найду себе другой транспорт.

— Я перекрою границы.

— Тогда я поскачу через холмы в Саид-Абабу. — Она дерзко улыбнулась. — Мне не откажут в политическом убежище. — Эдип снова встал на дыбы, и Дори едва удержалась у него на спине. — А теперь посторонись!

— А если ты попадешь в руки к бандитам? Тебя могут убить или изнасиловать! — Филип снова двинулся к ней.

— Нет! Не подходи! Эдип...

Но было уже поздно. Эдип снова встал на дыбы, передние копыта его взлетели в воздух прямо перед лицом Филипа.

— Филип! Нет!

В одну секунду она соскочила с коня. Филип был на ногах. Может быть, удар оказался не таким уж сильным. Она быстро подбежала к нему.

— С тобой все в порядке?

— Нет, не в порядке, — сердито процедил он. — Я зол, я в отчаянии, и благодаря нашему другу Эдипу мне гарантирована головная боль. — Он вдруг перекинул Дори через плечо так быстро, что она не успела опомниться. — Советую не сопротивляться. Иначе я свяжу тебя и засуну в рот кляп.

Всего на секунду Дори овладело негодование, сменившееся затем чувством радостного облегчения. Если Филип может нести ее, значит, у него нет серьезных повреждений.

Филип вынес ее из загона. Волосы падали на глаза, и она лишь мельком видела удивленные лица конюхов. Зато хорошо слышала их смех и колкие замечания.

— Мог бы опустить меня на землю, — возмущенно произнесла она. — Эти идиоты ни в грош не ставят женщин. Я не хочу, чтобы они видели меня в таком дурацком положении.

— Давно ли тебя стали волновать такие мелочи? Я не отпущу тебя, пока не донесу до места, откуда ты уж точно не сможешь убежать. — Дневной свет вдруг померк, и вместо каменных плит двора Дори увидела дощатый пол конюшни.

— Выйдите отсюда, — приказал шейх кому-то. — Заприте за собой двери и не открывайте их, пока я не скажу.

Затем Дори увидела пару ног, обутых в кожаные сапоги. Хлопнула дверь, и в конюшне стало еще темнее.

— Тебе не кажется, что пора все-таки меня опустить, — потребовала она. — У меня кружится голова.

— Что ж, пожалуй, здесь нас никто не услышит. К тому же у меня тоже кружится голова. — Филип опустил ее на копну свежего сена.

Дори озабоченно посмотрела на Филипа.

— О боже, у тебя до сих пор идет кровь. Ты ведь знаешь, что к Эдипу нельзя подходить, размахивая руками. — Дори встала на колени. — Дай мне посмотреть рану.

— Это был единственный способ заставить тебя слезть со спины этого вороного дьявола, пока он снова тебя не сбросил. — Филип достал из кармана белый носовой платок и приложил к ссадине на виске.

— Дай лучше мне. — Взяв у Филипа платок, Дори стала аккуратно вытирать кровь с виска и щеки. Она с облегчением отметила, что рана неопасная — обыкновенная царапина, хотя и довольно глубокая. А ведь Эдип мог попасть по виску подковой, и тогда неизвестно, чем бы все это кончилось. — Зачем ты бросился под копыта Эдипа? Надо было дать мне спокойно уехать.

— Никогда, — тихо произнес Филип. — Пока мы живы — этому не бывать.

— Если ты будешь и дальше вести себя так глупо, мы проживем недолго. — Она быстро заморгала, сдерживая подступившие к глазам слезы.

— Господи, как ты меня напугала! Мне показалось, что этот черный дьявол снова сбросит тебя. — В глазах Филипа Дори увидела боль и усталость. — Пожалуйста, не делай так больше, — попросил он. — Я до сих пор вижу в ночных кошмарах, как ты лежишь на склоне скалы, словно сломанная кукла.

— Сам виноват. Ты слышал, чтобы в наши дни муж запирал жену в доме?

— Но ты ведь не хотела остаться. А я не могу без тебя жить, — просто сказал Филип.

— Ты имеешь в виду — без своего ребенка?

— Я имею в виду только то, что сказал. Что мне сделать, чтобы убедить тебя в этом? Может быть, аборт?

— Нет! — в ужасе воскликнула Дори. — Ты этого не сделаешь!

— Конечно же, нет. Мы возненавидели бы друг друга, лишившись ребенка. К тому же для меня он куда реальнее, чем для тебя. У меня было больше времени подумать. Я хочу этого ребенка.

— Я знаю, — дрожащим голосом произнесла Дори.

— Я хочу его, — медленно повторил Филип. — Но я готов от него отказаться. Если ты пообещаешь остаться со мной хотя бы на год, я подпишу отказ от всех прав на своего наследника. Через год, если захочешь уехать, сможешь забрать его с собой.

Дори замерла.

— Ты сделаешь это?

— Если придется. Но я надеюсь, что за год сумею убедить тебя остаться. — Филип глубоко вздохнул. — Господи, сделай так, чтобы мои надежды оправдались.

— Это так на тебя не похоже. Не могу представить себе, чтобы шейх Эль Каббар так спокойно отказался от собственного ребенка.

Филип невесело улыбнулся:

— Вовсе не спокойно. Я в отчаянии, я вне себя.

— Но тогда почему? — почти шепотом спросила Дори.

— Потому что я люблю тебя. — Руки Филипа крепко сжали ее плечи. — Сколько раз должен я повторить это, чтобы ты мне наконец поверила? Да, я хочу этого ребенка. Но только потому, что он — твой. Потому что знаю, что буду любить его так же сильно, как люблю тебя.

— Хотелось бы верить...

— Сколько еще я должен расплачиваться за тот злополучный вечер? Я знаю, что сделал тебе больно. Я знаю, что не могу повернуть время вспять. Послушай, может быть, лучше будет рассказать тебе, зачем я вызвал сюда Натали?

— Я знаю, зачем. Ты хотел от меня избавиться. — Губы ее задрожали. — Ты хотел сделать мне больно.

— Да, я хотел сделать тебе больно. В меня словно бес вселился, когда ты сказала, что должна уехать.

Филип замолчал, подбирая нужные слова.

— Это была одна из игр, в которые любила играть моя мать, — выдохнул Филип. — Обычно она была не слишком изобретательна, но эта игра доставляла ей особое удовольствие. Я был очень одиноким ребенком. Она позаботилась об этом. Одинокие дети сильнее других нуждаются в любви и заботе. И она сделала это своим оружием. Она всегда старалась отомстить моему отцу, издеваясь надо мной.

О, она умела быть очаровательной. Ведь с самого детства ее учили доставлять удовольствие, ловить мужчин в свои сети. Для женщины с ее талантами я был легкой мишенью. Если это забавляло ее, она могла неделями осыпать меня знаками внимания. Я всякий раз попадался на удочку и бегал за ней, словно щенок, влюбленный в хозяйку.

Дори читала в его глазах боль и отвращение к самому себе. Это было невыносимо!

— Не надо! — Она прижала палец к губам Филипа. — Я не хочу этого слышать.

— Я тоже не хочу этого говорить. Но я должен тебе рассказать. — Филип взял ее руку в свою и стал рассеянно перебирать пальцы Дори. — Мать любила Париж, Вену, Лондон. В большом городе легче было спрятаться от отца. Она уезжала туда с очередным любовником, а я оставался, брошенный и одинокий. — Филип крепко сжал руку Дори. — Я помню, как умолял ее остаться, но она только смеялась в ответ.

— В то утро, когда ты сказала, что должна поехать в Париж, я словно с цепи сорвался. Я не мог думать об этом спокойно. Ты покидала меня, как и она, но я уже знал тогда, что люблю тебя в тысячу раз больше, чем эту женщину, давшую мне жизнь.

— Но ты ведь знал, что и я люблю тебя. — Дори пыталась говорить спокойно, но голос ее дрожал. — Я всегда тебя любила.

Филип посмотрел на Дори.

— Я не верил, что твоя любовь существует на самом деле. Теперь ты выслушала мое признание. Надеюсь, ты слушала внимательно. Больше я никогда не позволю себе такую слабость.

— Тебе не придется этого делать, — пообещала Дори. — Тебе не обязательно было рассказывать мне...

— Нет, я должен был. — В улыбке Филипа больше не было горечи. Только нежность и немного грусти. — Ты сказала, что не доверяешь мне. Трудно доверять, не понимая. Раньше мне ничего не стоило солгать женщине. Но только не теперь. — Он поднес к губам руку Дори.

— Это правда? — В глазах ее блестели слезы. — Пожалуйста, пусть это будет правдой.

— Никогда в жизни я еще не был так серьезен, — торжественно произнес Филип. — Помнишь, в то утро на скале я рассказывал тебе, какие чудеса несет людям вода? «Капля прозрачной чистой воды — и расцветет пустыня», — вспомнила Дори.

— Я сам был подобен пустыне, пока ты не вошла в мою жизнь. — Филип улыбнулся. — И даже не понимал этого. Ты пронеслась по пустыне подобно грозе, напоила землю живительной влагой и вернула меня к жизни.

— Никогда еще меня не сравнивали с ирригационным проектом. Теперь я верю, что ты относишься ко мне серьезно.

— Тебе хотелось бы более живописных сравнений?

Мне не слишком приятно сравнивать себя с мрачным богом подземного царства, но ты очень даже похожа на Персефону. Ты принесла мне весну, Дори. Каждый день, каждую минуту ты приносишь мне тепло и свет. — Голос его стал хриплым от волнения. — Пожалуйста, не отбирай у меня весну, Дори.

— Ты уж остановись на чем-то одном. То ты пустыня, то бог подземного царства.

— Я не бог и не пустыня, Дори. Я просто мужчина, который хочет разделить с тобой свою жизнь. Хочет быть твоим другом, твоим любовником, отцом твоего ребенка.

— О, Филип! — Дори упала в его объятия. — Ты ведь знаешь, что ты — не просто мужчина. Ты для меня — весь мир.

— Правда? — тихо спросил Филип и нежно погладил ее по волосам. — Так ты останешься со мной?

— Останусь, — пробормотала Дори, уткнувшись в его широкую грудь. — Теперь, если захочешь от меня избавиться, тебе придется связать меня и отправить из Седихана в сундуке.

— Не думаю, что когда-нибудь воспользуюсь этой идеей. — Филип усмехнулся. — Некоторые представители дипломатических кругов считают меня варваром, но даже для меня существуют границы дозволенного. Кстати, тебе не вредно сидеть, поджав ноги? Это не повредит ребенку?

— Ребенок... — Дори отстранилась, чтобы видеть лицо Филипа. — У меня будет ребенок. Разве это не чудесно?

— Это просто восхитительно! Но вид у тебя такой, словно ты только сейчас поняла, что станешь матерью.

— Я действительно только сейчас осознала все это в полной мере. Господи, а что, если бы я снова упала с Эдипа? Ведь это могло повредить ребенку!

— Слава богу, этого не произошло, — нежно произнес Филип.

— Но ведь могло произойти. Мне вообще нельзя больше ездить верхом!

— Я прикажу доставить сюда гинеколога, и послушаем, что он скажет по этому поводу. Но к Эдипу ты больше не подойдешь.

— Хорошо, — покорно произнесла Дори, отводя взгляд. — До рождения ребенка.

— Пандора!

— Но Эдип любит меня. И тебя тоже. Если бы он не подыграл нам сегодня, потребовалось бы куда больше времени, чтобы во всем разобраться.

— Так ты отводишь этому черному дьяволу роль Купидона?

— Не совсем. Я очень сержусь на него за то, что он ударил тебя копытом. — Дори нахмурилась. — Пойдем, я обработаю рану.

— Сейчас пойдем. Но сначала — почему бы нам не расслабиться немного? — Филип уложил Дори на сено и пристроился рядом. — Мне здесь нравится.

Дори тоже нравилось в конюшне. Полумрак создавал интимную обстановку. Сено сладко пахло цветами...

Дори устроилась поудобнее у него на плече.

— Ну хорошо, останемся здесь ненадолго. — Она улыбнулась. — Интересно, что думают о нас конюхи.

После того, как ты внес меня сюда с такой свирепой физиономией, они наверняка ожидали услышать истошные крики и свист кнута.

— Причем, скорее всего мои крики, — улыбнулся Филип. — Всем известно, что ты свирепа, как дикая кошка. Удивительно, что никто из охраны еще не ворвался сюда защитить своего повелителя.

— Теперь я буду тебя защищать, — прошептала Дори. — Больше тебе никто не понадобится.

Их губы встретились.

— Я тоже буду заботиться о тебе, — срывающимся голосом произнес Филип. — А теперь давай помолчим и полежим спокойно, хотя бы немного. Видит бог, в будущем мне придется распроститься со спокойствием.

— А тебе не хочется?

— Ну что ты! Я в восторге. Просто всегда немного не по себе, когда жизнь твоя должна измениться. — Он улыбнулся. — Никогда не знаешь, какие сюрпризы готовит тебе судьба.

— О чем ты думаешь?

— О тебе. О себе. О нас вместе. О том, что каждый из нас жил, словно в пустыне, пока мы не превратили ее в цветущий сад.

Филип смотрел на нее глазами, полными любви и нежности.

Путеводная звезда

Роман

Пролог

Мекхит, Турция

Кромешная тьма окружала ее со всех сторон. Было трудно дышать. Пальцы судорожно цеплялись за обломок бетона, завалившего выход. Он был слишком тяжелым, и ее попытки сдвинуть его с места ни к чему не привели. Горло нестерпимо болело — так долго она звала на помощь. Но никто так и не услышал ее.

— Эй, есть кто-нибудь живой? — раздался вдруг чей-то голос.

— Я здесь! — Из ее горла вырвался сдавленный хрип. — Помогите мне!

— Я уже два часа слышу твои крики и пытаюсь тебе помочь. — Послышался скрежет бетонных обломков. — Ты ранена?

— Вроде бы нет. — Она не была уверена. Чувство безысходности оказалось сильнее ощущения боли. — А что случилось? Взорвался гараж?

— Хуже, — ответил мужчина. — Землетрясение. Рухнула гостиница. Мы уже восемь часов ведем раскопки, спасаем живых.

Только несколько часов... Ей казалось, что прошла целая вечность с тех пор, как на нее обрушилась темнота.

— Там есть еще кто-нибудь?

— Нет, я здесь одна.

— Эй, я плохо тебя слышу. Говори громче. Как тебя зовут?

Какое имя стояло в ее последнем паспорте?

— Анита, — вспомнила она.

— А меня Гейб. Теперь постарайся прикинуть, на каком расстоянии от двери ты была во время обвала?

— Близко.

— Но насколько близко?

— Примерно три фута.

— Тогда мы скоро освободим тебя. Держись!

Держаться, правда, было не за что! Кругом непроглядная тьма и острые обломки камня.

— Вы не могли бы поскорее? Я боюсь.

— Тебе нечего бояться.

— Это вам нечего бояться, на вас же не обрушилась гостиница! — закричала она в ярости.

Последовала пауза.

— Извини. Ты права. Я понимаю, тебе страшно. Потерпи. Постарайся не думать о плохом. Ты американка?

— Нет.

— А говоришь, как американка.

— Я испанка. Моя мать была англичанкой.

— А я американец. Из Техаса. Родился и вырос в Плано. Знаешь, где это?

— Нет.

— Это небольшой городок рядом с Далласом. Почему ты молчишь?

— Я слушаю. Не могу же я говорить и слушать одновременно.

Внезапно она почувствовала поток свежего воздуха и увидела узкий просвет между обломками.

— Вы уже близко. Я вижу свет. Слава богу!

До нее доносились приглушенные голоса. «Что-то не так», — в отчаянии подумала она.

— Анита! — окликнул ее Гейб. — Мы наткнулись на большой кусок металла. Он перекрыл выход. Надо идти за помощью.

— И ты бросишь меня? — запаниковала она.

— Ненадолго. Я скоро вернусь.

— Ладно, я подожду.

Опять послышались обрывки разговора.

— Не волнуйся, я останусь с тобой, — успокоил ее Гейб и просунул руку в расщелину. — Вот, держись.

Она потянулась и крепко схватила руку.

Ее сердце перестало так биться.

— Все в порядке? — тихо спросил Гейб.

Рука была сильной и надежной, с небольшими мозолями на ладони и с длинными пальцами.

— Извини, что я сорвалась. Вообще-то я не трусиха.

— Но не каждый же день на тебя обрушивается гостиница, — повторил он ее слова. — Так что я тебя понимаю. Сам бывал в таких ситуациях.

Она сильнее сжала его руку:

— Тут как в гробу.

— Но ты же знаешь, что ты не в гробу. При дневном свете все это выглядит, как куча мусора.

— И я — часть этого мусора, — нервно рассмеялась она.

— Никакой ты не мусор. Ты живой человек, и сейчас главное — вытащить тебя оттуда.

— А что ты делаешь в Мекхите? — спросил он, пытаясь отвлечь ее.

— Я здесь на каникулах.

— На каникулах? А в каком колледже ты учишься?

— Ни в каком. Я еще маленькая.

— Сколько же тебе лет?

— Четырнадцать.

— Тогда что же ты делала одна в гостиничном гараже в три часа ночи?

Она не могла придумать убедительный ответ, поэтому задала встречный вопрос:

— А ты что здесь делаешь?

— Я журналист. Остановился в этой гостинице. Сидел в баре, когда началось это светопреставление. Мне повезло — я успел выбежать на улицу прежде, чем гостиница рухнула, как карточный домик. Весь город сейчас в руинах.

Она вспомнила, что Эван должен ждать ее в машине на улице, если, конечно, с ним все в порядке. Но он всегда говорил, что у него девять жизней. Да и сама она не раз была свидетелем, как он практически воскресал из мертвых.

— Кажется, пришла помощь, — услышала она. — Оглянуться не успеешь, как мы тебя вытащим.

Он начал постепенно отпускать ее руку.

— Нет! Не уходи.

— Я не брошу тебя. — Его рука снова сжала ее ладонь. — Видишь, я с тобой, я никуда не уйду.

Глава 1

— Это слишком опасно, — сказал Эван, не глядя на нее. — Я умываю руки.

— Ничего не выйдет, — ответила Ронни, стараясь

не поддаваться панике. Она знала — малейшее проявление неуверенности или слабости с ее стороны, и он откажется от намеченного плана. Он брался за дело только тогда, когда видел ее абсолютную решимость. — Даже не думай, Эван.

— Нам не освободить Фолкнера. Нас обоих убьют.

— Тебе вообще не надо быть там. Ты должен будешь расплатиться со всеми, а потом ехать к границе.

— Если они догадаются, что я замешан, от меня не отстанут. Этих парней не так-то легко одурачить. — Он нахмурился. — Не понимаю, как я вообще позволил тебе втянуть меня в это.

— Пойми, мы — его последняя надежда, — в отчаянии воскликнула она. — Переговоры провалились. Теперь они убьют его, если мы не поможем.

Эван покачал головой:

— Не думаю, что убьют. Он слишком важная шишка. Все, начиная с ЦРУ и заканчивая прессой, не спускают с него глаз. Правительство возобновит переговоры. Ты мне сама говорила, что все возмущены этим похищением. Политики пойдут на уступки под давлением общественности.

— Может оказаться слишком поздно.

— Но мне-то какое дело? — взорвался он. — Меня это совершенно не касается. Ты можешь хоть молиться на своего Фолкнера, но мне он — никто. Я не обязан заниматься этим.

— Нет, обязан.

— Ты говоришь так, словно я виноват в его похищении, — мрачно сказал Эван. — Не надо взывать к моей совести. У меня ее нет. Ты не можешь изменить меня, и я не буду потворствовать твоим прихотям.

Ронни хорошо знала Эвана, но на этот раз не могла позволить ему уйти, не исправив то, что он натворил.

— Он незаурядный человек, Эван. Он должен жить. Обещаю, что никогда больше ни о чем не попрошу тебя.

На лице Эвана появилась озорная мальчишеская улыбка.

— Как же! Так я тебе и поверил. Как только тебе понадобится сделать очередной репортаж, ты сразу прибежишь ко мне и будешь ходить по пятам, как в детстве.

Она улыбнулась:

— Может быть. Но ты же можешь сделать это! Что тебе стоит? Ты практически ничем не рискуешь.

— Почему ты такая упрямая? Ты ведь даже не знаешь его. — Он уставился на нее. — Или знаешь?

— Я уже говорила тебе, что незнакома с ним.

— Говорят, он известен как большой знаток женщин, — хитро заметил Эван. — Я подумал, может он наконец объяснил тебе, что заниматься сексом гораздо интереснее, чем фотографировать.

— Это для тебя, — огрызнулась она. — Гейб Фолкнер — легендарная личность. Мне необязательно знать его лично, чтобы понимать это. Кто еще мог добровольно сдаться Красному Декабрю — этой кучке фанатиков, чтобы спасти двух своих репортеров?

Эван в изумлении уставился на нее.

— Я знал, что ты боготворишь его, но не настолько же! Мне казалось, что я воспитал в тебе больше здравого смысла.

— Мне необходимо сделать репортаж о побеге Фолкнера, — твердо сказала Ронни. — Любой фотожурналист рискнул бы своей шкурой ради этого.

— Тебе повезет, если ты уйдешь оттуда живой.

— Я попробую.

— Ты просто безумная. Фолкнер после пыток будет не в лучшей форме. Он не сможет тебе помочь.

— Ты недооцениваешь его.

— Ну, не знаю. Может, ты и права. Мохамед говорил, что он крепкий парень.

Гейб был не просто крепким парнем. Проработав пять лет иностранным корреспондентом, он вернулся в Техас, на маленькую радиостанцию, которая досталась ему по наследству от отца, и превратил ее в настоящую информационную империю, со своими газетами, журналами и кабельным каналом.

Несмотря на крутой нрав, Гейб имел репутацию человека, абсолютно честного и порядочного в бизнесе и стоящего горой за своих сотрудников. В мире, где репортеры принимались на работу и увольнялись посредством компьютера, Гейб создал старомодную родственную атмосферу в коллективе. Он подобрал порядочных людей, дал им отличную зарплату, и с этого момента они находились под его безграничной отеческой защитой. В ответ он получал от журналистов отличную работу и человеческую преданность.

— Даже если Фолкнер поможет нам, — рассуждал Эван, — даже если все пройдет хорошо, тебе вряд ли удастся спрятать его. Если ты попадешь в переделку, тебе нечего рассчитывать на правительство Саид-Абабы. Они выслуживаются перед Вашингтоном, но побоятся связываться с Красным Декабрем.

— Я все знаю, — нетерпеливо сказала Ронни. — Но

зачем заранее настраиваться на самое плохое. Все будет нормально. Мы же все предусмотрели.

— Может, стоит подождать еще пару дней? — осторожно спросил Эван. — Возможно, Вашингтону удастся что-нибудь сделать?

— Эти убийцы могут расправиться с Фолкнером в любой момент. Или отвезти куда-нибудь, где мы его никогда не найдем. Хватит спорить. Ты же обещал мне помочь. Мы должны сделать это сегодня ночью. Я буду ждать в той нише на улице Верблюдов в одиннадцать вечера. Если ты не пришлешь мне обещанную помощь, меня схватят, и тогда они убьют нас обоих. — Ее лицо осветила озорная улыбка. — Тогда тебе придется прийти на мои похороны, а ты ведь ненавидишь такие развлечения.

— С чего ты решила, что я вообще на них пойду?

— Потому что, если ты не придешь, я буду являться к себе по ночам немым укором.

— С тебя, пожалуй, станется. — Эван нахмурился. — Ладно. Я согласен. Только многого от меня не жди. Я расплачиваюсь с Мохамедом и Фатимой и умываю руки.

— Это все, о чем я прошу, — с облегчением сказала Ронни. — А ты уверен, что Мохамед хорошо стреляет?

Эван утвердительно кивнул.

— Да, особенно с близкого расстояния. — Он усмехнулся. — И как это ты разрешила стрелять в охрану? Твое сердце, наверное, обливается кровью из-за них?

— У нас нет другого выхода. К тому же их сердца не дрогнули, когда они взорвали автобус со школьниками в прошлом месяце.

Ронни наклонилась и поцеловала отца в лоб.

— Спасибо, Эван.

— Ты волнуешься сильнее, чем я думал, если разводишь такие телячьи нежности, — удивился Эван.

— Ничего я не развожу.

Она повернулась на каблуках и направилась к двери.

— Береги себя.

Ронни обернулась, удивленная не меньше Эвана.

— Так кто из нас разводит тут телячьи нежности?

— Я просто ненавижу похороны, — серьезно сказал Эван.

«Как и все остальные чувства, включая отцовские», — добавила про себя Ронни. Что с ней сегодня? Сейчас, когда ей исполнилось двадцать четыре, ей нужна отцовская опека не больше, чем когда ей было десять. Она росла совершенно независимой от Эвана или кого-либо еще. Так хотелось отцу, да ей и самой это нравилось.

Она бодро помахала ему.

— Постараюсь не причинить тебе неудобств. Увидимся.

Не дожидаясь ответа, Ронни вышла из гостиничного номера, ругая себя за «телячьи нежности». Она не могла вспомнить, когда последний раз целовала отца. В Эль-Салвадоре? Вряд ли. Несмотря на свободную манеру поведения, Эван был абсолютно эгоцентричен и не приветствовал внешнюю демонстрацию чувств, как, собственно, и она. Некоторая сентиментальность их сегодняшнего разговора объяснялась просто волнением перед ночной операцией.

Кого она пыталась обмануть? Она не просто волновалась, она умирала от страха. Каждый аргумент, приведенный Эваном, попадал точно в цель. Будь у нее разум, она бы бросила свою безумную затею, забыла про Фолкнера и уехала куда-нибудь подальше.

Она вспомнила видеокассету с «Новостями». Гейб Фолкнер смотрел в камеру с пугающей холодностью и безрассудством. Похудевшее лицо, растрепанные волосы, следы ударов на лице. Такой человек не заслуживает того, чтобы над ним издевались всякие ублюдки. Даже если бы Эван отказался помогать ей, она все равно бы сделала это сама. Из-за уважения к выдающемуся человеку, а также из-за своих личных, профессиональных амбиций и чувства благодарности. Эти причины заставили ее разработать план побега. Теперь они же должны помочь реализовать его.

Джип, в котором находился Фолкнер с двумя охранниками, остановился в начале улицы Верблюдов. Ронни с облегчением вздохнула. Они опоздали на десять минут. Она уже начала беспокоиться, что они изменили план.

Выглянув из ниши, где пряталась, она навела объектив на Фолкнера, выходящего из джипа. Свет уличного фонаря осветил его могучую фигуру. Джинсы и свитер были покрыты грязью и истрепаны. Волевое лицо свидетельствовало о сильном характере. Ронни не могла рассмотреть его глаз, но представляла себе их леденящий взгляд.

Его руки были скованы наручниками, а ноги обвязаны цепью, из-за чего он шел шаркающей, неровной походкой. Один из охранников что-то сказал ему и толкнул в спину, видимо, приказывая идти вперед. Гейб обернулся и посмотрел на него. Это был всего лишь взгляд, но охранник вздрогнул, а затем разразился ругательствами.

«Отличные снимки», — машинально думала Ронни, не выпуская из рук камеру.

Трое мужчин медленно приближались к ней, направляясь к дому в конце квартала. Ронни с сожалением закрыла объектив и положила фотоаппарат в сумку.

Теперь их разделяло всего сто ярдов.

Собравшись с духом, Ронни протянула руку назад, открыла дверь и вынула из кармана куртки дымовую гранату.

Пятьдесят ярдов.

Она бросила взгляд на окно второго этажа в здании напротив. «Надеюсь, Мохамед окажется хорошим стрелком, — подумала Ронни. — У него всего несколько секунд, чтобы обезвредить обоих охранников».

Пять ярдов.

Зубами она выдернула штырь из гранаты.

Первый выстрел!

Охранник справа от Фолкнера упал на землю.

Она бросила гранату.

Вторая пуля достигла своей цели.

Клубы дыма в один момент заволокли узкую улицу.

Ронни выскочила из ниши и схватила Фолкнера за руку.

— Быстрее!

Не задавая вопросов, он последовал за ней.

Захлопнув дверь, Ронни закрыла ее на засов и пошла по коридору.

— Идите за мной. У нас есть всего две минуты, прежде чем люди из дома напротив добегут сюда, и еще две минуты, прежде чем рассеется дым и они смогут начать поиски. На первом этаже есть люк, который ведет в погреб. Оттуда — выход через водосточную трубу. Вы сможете спуститься по лестнице в этих цепях?

— Я смогу подняться на Эверест, лишь бы смыться от этих ублюдков, — мрачно ответил он. — Кто вы? Вы из ЦРУ?

— Позже расскажу.

— Как вас зовут? — настаивал Фолкнер.

— Ронни. Ронни Далтон. — Она подождала, пока он спустится вниз, затем осветила фонарем водосточную трубу. — Вы первый.

Фолкнер скептически посмотрел на отверстие.

— Оно слишком узкое.

— Вы пролезете. Я мерила.

Он встал на четвереньки и полез по трубе. Ронни последовала за ним, захлопнув за собой люк.

— Быстрее, — шептала она. — Нам надо быть в конце трубы через четыре минуты.

— Куда она выходит?

— Через два квартала на север.

— Там будет ждать машина?

— Нет.

— Почему нет?

— Хватит задавать вопросы, лучше двигайтесь быстрее.

— Не затыкайте мне рот. У меня есть полное право задавать вопросы. В конце концов, это моя жизнь, и я не собираюсь рисковать ею.

— В конце концов, — перебила его Ронни, — это ваш единственный шанс. Не волнуйтесь. Я все рассчитала. Доверьтесь мне.

— Я не доверяю никому, кроме себя самого.

— Придется менять свои привычки. Самому вам не справиться.

Труба закончилась. Он открыл люк, осторожно высунулся наружу. Увидев, что никого нет, вылез на поверхность. Потом протянул руку Ронни и вытащил ее.

Они побежали по улице, свернули налево, затем направо в переулок. Ронни бежала впереди, показывая дорогу. За ней, звеня цепями, ковылял Фолкнер. Когда они миновали третий квартал, он раздраженно спросил:

— Мы что, так и будем бежать до границы?

— Если понадобится, то да.

Ронни снова свернула налево, в узкую улочку и, остановившись у какого-то дома, распахнула дверь, жестом предлагая ему войти.

Фатима ждала их.

— Вы опоздали, — сердито заметила она. — Еще две минуты, и я бы закрыла дверь. Я же предупредила Эвана, что не хочу зря рисковать.

Она закрыла за ними дверь и быстро пошла по тускло освещенному коридору.

— Идите за мной.

— Что это за место? — спросил Фолкнер.

— Бордель, — ответила Ронни. — Мы решили, что здесь ты будешь в безопасности. Сценарий следующий: ты — посетитель, а я — одна из женщин Фатимы.

Фатима раскрыла дверь и впустила их в комнату.

— А эта очаровательная женщина, вероятно, хозяйка? — поинтересовался Фолкнер, когда за Фатимой закрылась дверь.

— Да, это Фатима Аль-Радир. — Она указала рукой на кровать. — Садись, я сниму с тебя цепи.

— С удовольствием.

Он внимательно посмотрел на свою спасительницу. Но, кроме карих блестящих глаз и слегка вздернутого носа, ему ничего не удалось увидеть, так как лицо было покрыто маскировочной краской. Она была в черных брюках, такой же рубашке и кепке, полностью скрывающей волосы.

— И как ты собираешься избавиться от них? У тебя есть напильник?

— Нет, кое-что получше.

Присев рядом с ним на корточки, Ронни раскрыла свою сумку и достала оттуда маленький ключик.

— Да, ты серьезно подготовилась. — Он внимательно посмотрел на ее раскрашенное лицо. — Как же тебе удалось?

— Все! — перебила его Ронни, щелкнув замком. — Теперь давай руки.

Фолкнер покорно протянул ей руки.

— Как ты узнала, куда меня сегодня повезут?

— Это профессиональная тайна, — хитро ответила она.

— Ты журналист?

Ронни сняла наручники.

— Фотожурналист.

— Так ты одна из моих?

Она покачала головой:

— Нет, я независимый репортер.

— Но ты же чертовски рискуешь!

— Я хочу получить Эмми, — выпалила она. — Все. Иди в душ. Я скажу Фатиме, чтобы она избавилась от наручников и спрятала твою одежду. — Она вынула из сумки небольшой пакетик. — Вот, держи. Здесь накладные борода, брови и цветные контактные линзы. Твои голубые глаза могут тебя выдать.

— Сколько у меня на это времени?

— Семь минут. Твои друзья появятся здесь через десять, чтобы перевернуть все вверх дном.

— Будем надеяться, что они действуют по твоему расписанию и не появятся раньше времени. — Он направился в ванную. — А сама ты не забудешь стереть с лица краску и переодеться во что-нибудь более подходящее?

— Конечно, не задавай дурацких вопросов.

— Вообще-то у меня нет такой привычки.

Он захлопнул за собой дверь и начал раздеваться. Черт возьми! Он понимал, что должен быть благодарен ей за то, что она спасла его шкуру, но было что-то в этой Ронни Далтон, что безумно раздражало его. Ее агрессивная манера поведения, командный тон, самоуверенность...

Он вошел в душ и включил воду. Обычно он не был столь категоричен, особенно по отношению к женщинам. Но он всегда чувствовал неприязнь к тем, от кого зависела его жизнь. Фолкнер привык сам контролировать ситуацию, но за последний год испытал немало неприятных минут, чувствуя себя полностью зависимым и беспомощным. В этом, конечно, не было вины Ронни Далтон, и он, прекрасно это понимая, решил успокоиться. У них одна цель — выбраться отсюда живыми.

— Эй, ты не мог бы поторопиться? — услышал он ее крик.

Фолкнер сжал зубы:

— Ты же дала мне семь минут, а прошло только пять.

Обернувшись полотенцем и немного уняв раздражение, он вышел из ванной.

Ронни лежала, прислонившись к высокой дубовой спинке кровати. Она выглядела совсем девочкой. Нежная розовая кожа, как у ребенка. Короткие золотистые волосы, обрамляющие лицо буйными непослушными кудряшками. Она была укрыта простыней до самых плеч, но тонкая ткань не могла скрыть очертания обнаженного тела.

— Ты выглядишь, словно...

— Знаю, знаю, — продолжила Ронни. — Словно девушка с рекламной картинки или из фильма пятидесятых годов. Ложись скорей.

— Не уверен, что мне стоит это делать. — С этими словами он залез под простыню, бросив полотенце на пол. — Сколько тебе лет?

— Двадцать четыре.

Она потянулась к ночному столику и взяла парик с длинными черными волосами. Надев его, Ронни принялась запихивать под него свои золотистые волосы.

— Так я буду выглядеть немного взрослее.

— Ничего подобного, — возразил он. — До этого ты

выглядела, как рождественский ангел, а теперь — как выпускница школы медсестер.

— Правда? — Она нахмурилась. — Ну что ж, ничего не поделаешь. Может, они решат, что ты из тех, кто любит маленьких девочек. — Она подняла подушку и показала ему спрятанный там пистолет. — Этим мы воспользуемся только в крайнем случае.

— Ты знакома с оружием?

— Когда все дети ходили в школу, я уже знала, как с ним обращаться.

— Очень интересно.

— Если мне придется применить его в деле, немедленно беги в ванную. Окно выходит в переулок.

— Ты все предусмотрела, как я погляжу.

— Конечно. Я хочу жить не меньше, чем ты. Теперь слушай. Когда мы услышим, что они вошли в дом, ты должен наклониться ко мне и притвориться, что мы занимаемся любовью. Желательно, чтобы они увидели бороду.

— Я понял. — Он потянулся, пытаясь расслабиться. — Я все сделаю.

— Ты говоришь на арабском?

— Не волнуйся, за последний год я выучил немало арабских ругательств.

— Тебе нужно изменить голос.

— Ради бога, неужели ты думаешь, что я сам не знаю, что мне нужно.

Он вдруг понял, что Ронни безумно испугана. Она умирала от страха. Поэтому говорила так быстро и так много, пытаясь скрыть свое состояние от него, да и от себя самой. Это открытие обезоружило его. Она же еще совсем ребенок! Он почувствовал желание защитить ее, успокоить.

— Не волнуйся, — мягко сказал он. — Я все сделаю как надо. А теперь успокойся. Нам остается только ждать.

Ронни глубоко вздохнула:

— Ненавижу ждать.

— Я тоже, но мне пришлось к этому привыкнуть. — Он нежно коснулся крошечного шрама на ее правом плече. — Что это?

— След от пули. Эль-Сальвадор.

— Кто послал тебя в этот ад? — удивился Гейб.

— Я сама, — ответила Ронни, не сводя глаз с двери. — И сделала отличный репортаж.

— И получила пулю в придачу, — съязвил он.

Ронни с удивлением взглянула на него.

— Тебя это волнует? Там, кстати, было полно твоих журналистов.

— Но они не были...

Он замолчал. Ронни была права. Он действительно часто отправлял своих людей в опасные места. Риск — неизменный атрибут репортерской профессии. Но она... В ней было что-то такое хрупкое и ранимое, несмотря на видимую решимость и уверенность. Его сердце сжималось при одной мысли о том, что ей могла грозить опасность.

— Мне очень мешает моя внешность, — призналась Ронни. — С этим ангельским личиком меня никто не хочет воспринимать серьезно.

Гейб снова дотронулся до шрама, слегка погладил его.

— Сколько тебе было лет, когда это произошло?

— Восемнадцать. — Она отстранила его руку. — Не надо. А то я как-то странно себя чувствую.

Что касается Гейба, то его чувства были вовсе не странными, а весьма определенными — он почувствовал возбуждение. Он жадно вдыхал легкий лимонный запах, исходящий от ее тела. Сумасшествие! Всего несколько минут отделяли его от встречи со своими преследователями, а он хотел эту женщину. Хотел безумно и обреченно, как будто на пороге смерти.

Они услышали шаги и громкие голоса. Гейб наклонился к Ронни.

Глава 2

Его сильное горячее тело было совсем рядом. Ронни охватила паника. Сердце колотилось в груди.

— Ты вся дрожишь, — прошептал он. — Успокойся, все будет хорошо.

— Да. — Она с трудом перевела дыхание.

Он прислушался.

— Похоже, они проверяют каждую комнату. — Раздвинув ее колени, Гэйб склонился над ней. — Обхвати меня ногами. Скорее!

Она подчинилась ему, не раздумывая. Ее ноги сомкнулись вокруг его ягодиц, и она почувствовала прикосновение возбужденной плоти. Полными ужаса глазами Ронни уставилась на него.

— Ты ведь не собираешься?..

— Не волнуйся, пожалуйста, это не то, что ты думаешь, — пробормотал он.

Дверь в комнату распахнулась.

Гейб еще ниже склонился к ней. За его мощными плечами Ронни ничего не было видно. Слегка повернув голову в сторону двери, так, чтобы была видна его борода, Гейб прокричал что-то по-арабски. В ответ посыпались яростные ругательства, и дверь захлопнулась.

Ронни облегченно вздохнула.

— Тебе лучше не двигаться, пока мы не убедимся, что они не вернутся, — прошептала она Гейбу.

— А я и не собираюсь двигаться, — ответил он глухим голосом и ласково провел ладонью по ее плечу. — Боже, какая у тебя нежная кожа.

Как-то Эван рассказывал Ронни, что, будучи в плену, Фолкнер ежедневно тренировался. Теперь она могла сама в этом убедиться, ощущая под своими пальцами натянутые, словно струны, мускулы. Она зачарованно посмотрела на него. Русая борода и цветные линзы делали его лицо практически неузнаваемым. Странное чувство внезапно охватило Ронни. Ей вдруг показалось, что она лежит в объятиях не Гейба Фолкнера, а совершенно незнакомого ей человека. Он оказался совсем не таким, каким она его себе представляла... Гейб продолжал медленно гладить ее плечи. Его бедра раскачивались в том же томном ритме. Ронни почувствовала нарастающий жар внизу живота, и в этот момент Гейб прильнул к ней, коснувшись самой интимной части ее тела.

— Я хочу, — произнес он сквозь зубы. — Разреши мне.

Ронни на мгновение замерла и ошеломленно посмотрела на него.

— Нет, нет!

— Нет? — Гейб тяжело выдохнул. — Ну что ж, я не собираюсь тебя насиловать. — Он закусил нижнюю губу. — Лежи спокойно, ничего не произойдет.

Из коридора по-прежнему доносился глухой шум.

— Если нельзя ничего другого, давай поговорим, — сказал Гейб.

— Что ты хочешь, чтобы я тебе сказала? — с трудом выдавила она.

— Все равно что. Ронни — уменьшительное от какого имени? От Вероники?

— Ни от какого. Просто Ронни. Мой отец хотел сына. Он думал, что девочка приносит одни неудобства. Я была его самым большим разочарованием, пока он не понял, что со мной вполне можно обращаться, как с мальчиком. Они ушли?

— Нет еще, — ответил он. — Я все еще слышу их голоса в конце коридора. А твоя мать?

— Она развелась с отцом, когда мне было три года.

— И оставила тебя?

— Для нее любой ребенок приносил неудобства, независимо от пола.

— Мне кажется, что не стоило сейчас затрагивать эту тему, — медленно произнес Гейб, окидывая взглядом ее тело.

Ронни нервно засмеялась.

— Джед всегда говорил мне, что у меня особый талант говорить что-нибудь не вовремя.

— Кто такой Джед? — нахмурился Гейб.

— Они ушли! — С этими словами в комнату ворвалась Фатима.

— Слава богу! — Гейб откинул простыню и поднялся с кровати.

Удивленно вскинув брови, Фатима посмотрела на него.

— Только не нужно говорить мне, что тебе было неприятно лежать рядом с ней. Она, конечно, худощава, но это, пожалуй, единственный ее недостаток. — Ее взгляд скользнул ниже. — Да, она точно не показалась тебе непривлекательной.

Ронни натянула простыню на свое обнаженное тело.

— Думаю, что они уже не вернутся сюда, — продолжала Фатима. — Теперь они ищут в соседнем доме. Сейчас принесу вам еды и вина.

— Мы здесь в безопасности? — спросил Гейб.

Ронни пожала плечами:

— Здесь все же лучше, чем на улице. Они теперь не скоро успокоятся. Будут останавливать всех подряд. Эван сказал, что в семь утра у рынка нас будет ждать джип. Там будет столько народу, что нас вряд ли кто-нибудь заметит.

— Эван?

— Мой отец. — Ронни встала, закуталась в простыню. — Я пойду оденусь.

— Оставайся здесь, — сказала Фатима. — Тебя могут увидеть, а мне не нужны разговоры о том, что у меня тут разгуливают посторонние люди. Эван оставил вам обоим одежду. Я схожу за ней.

Дверь закрылась, и Ронни какое-то время стояла в задумчивости, не решаясь обернуться. Когда она все же заставила себя сделать это, то с ужасом увидела, что

Гейб лежит на кровати совершенно обнаженный, ничуть не стесняющийся своей наготы. Настоящий самец. Она почувствовала, как щеки ее заливает румянец.

— Жаль, что ты оказался здесь при таких обстоятельствах. Эвен говорил, что женщины Фатимы — лучшие на всем Ближнем Востоке. Ты мог бы снять стресс, если бы...

— Снять стресс? — переспросил он.

— Так говорит мой отец. — Стараясь не смотреть на Гейба, Ронни достала из-под кровати сумку с фотоаппаратом. — Это одно из его самых удачных выражений. Согласитесь, оно имеет смысл. Секс действительно помогает людям расслабиться.

— Если ты так просто к этому относишься, то почему же ты не позволила мне... — Он запнулся. — Я полагаю, нам стоит сменить тему.

— Или вообще не разговаривать. — Ронни, словно фокусник, достала из сумки колоду карт. — Может, партию в покер?

— Ты играешь?

— Еще бы. — Она начала тасовать колоду, надеясь, что Гейб не замечает, как дрожат ее пальцы.

Он сел, скрестив ноги. Это смутило ее еще больше. Он был похож на обнаженного султана, развалившегося в своем гареме, и это зрелище навевало разные эротические фантазии.

Гейб внимательно посмотрел на нее и взял карты.

— Кстати, а кто такой Джед?

— Джед Корбин.

Он бросил на нее быстрый взгляд.

— Тот самый Джед Корбин?

Ронни кивнула:

— Мы вместе работаем. Джед просто замечательный.

— Согласен. Он один из столпов в нашем бизнесе. Три года назад я пытался заманить его к себе.

— Правда? Джед никогда не говорил мне.

— А он что, все тебе рассказывает?

— К сожалению, не все. Он слишком беспокоится о своей команде. — Она усмехнулась. — Так же, как и ты.

— Никогда не бывает слишком, особенно, когда это касается человеческих жизней.

Он сбросил карту, и Ронни протянула ему еще одну.

— Почему я никогда не слышал о тебе? Когда я собирался предложить Корбину работу, я знал о нем абсолютно все. Что-то не помню, чтобы твое имя где-нибудь фигурировало.

— Я предпочитаю не высовываться.

— Обычно претенденты на премию Эмми не скрывают своих талантов, — ехидно заметил он.

Ронни прикусила язык. А он не так прост! Она совсем забыла, что случайно сболтнула о своих планах. А он запомнил.

— Я буду исключением. — Она решила поменять тему разговора: — Странно, что тебе не удалось заполучить Джеда. Ему нравится твой стиль.

— Видимо, не настолько. Как же он позволил тебе так рисковать своей жизнью? Почему он не с тобой?

— Он даже не знает, что я здесь. Думает, что я в Германии, беру интервью у жителей восточного Берлина об их жизни после объединения.

— А вместо этого ты приезжаешь сюда и рискуешь быть убитой террористами?

— Никто из нас не будет убит. — Ронни вопросительно посмотрела на него. — Ведь пока что я со всем
справилась?

Гейб улыбнулся:

— Вполне.

Она покраснела от удовольствия.

— Ну вот, тогда нет никаких оснований думать, что
остальная часть моего плана провалится.

— Ты не ответила мне. Почему ты не захотела,
чтобы твой замечательный Джед поехал с тобой?

— Он ждет ребенка.

Фолкнер расхохотался:

— В таком случае он не просто замечательный,
он — уникальный.

— Я не то хотела сказать. Его жена Изабел беременна, и это для него сейчас самое главное. Ни о чем другом он не может думать.

— Даже о тебе?

— Он мой друг, а не нянька. К тому же, я бы все
равно не сказала ему об этом.

— Почему?

— Потому что это мое дело...

Она остановилась, заметив, как сузились его глаза.
Черт! Она чуть не проговорилась. Фолкнер, казалось,
обладал удивительной силой, которая заставляла невольно признаваться в том, о чем она вообще не собиралась говорить.

— А ты молодец, — сказала она. — Я слышала, одно
время ты был лучшим репортером. И вообще, ты напоминаешь мне Джеда. У него такая же способность вызывать людей на откровение.

— Это не всегда получается. — Он помолчал. — Вот ты пока ускользаешь от меня.

— Я? — Она пожала плечами. — Меня видно насквозь. Спроси Джеда.

— Джеда здесь нет, — мягко сказал Гейб. — К тому же, даже у таких кристально чистых людей, как ты, всегда есть, что скрывать.

Ронни весело рассмеялась, откинув назад голову:

— Господи, мне это нравится! Ты говоришь так, словно я какой-то загадочный персонаж. Просто Мата Хари!

Его взгляд упал на пульсирующую жилку у нее на шее.

— У тебя очень красивая шея.

Ронни замерла. Ее непринужденность и уверенность тут же исчезли. Гейб продолжал с улыбкой смотреть на нее. Стало тяжело дышать. Пальцы дрожали, карты были готовы вот-вот выпасть из рук. И Ронни бросилась в атаку:

— А тебе известно, что Мора Ренор разыгрывала безутешную любовницу, пока ты находился здесь? Она даже обвязала каждое дерево в своем поместье в Беверли-Хиллз желтой ленточкой.

— Правда? — Гейб улыбнулся. — Меня это не удивляет. Мора умеет использовать любую ситуацию, чтобы привлечь к себе внимание прессы.

— И тебе все равно?

— А почему должно быть иначе? У нее — свои цели, у меня — свои. И тем не менее, у нас были некоторые общие интересы.

— Я полагаю, ты имеешь в виду постель? — сухо по-

интересовалась Ронни. — Я слышала, что вы помол-
влены?

Улыбка исчезла с его лица.

— А вот это мне уже не безразлично. Я не люблю
ложь. — Он посмотрел ей в глаза. — Что-нибудь еще?

— Ты о чем?

— У тебя в запасе больше не осталось историй о
моих похождениях?

— Я не понимаю, что ты имеешь в виду.

— Все ты прекрасно понимаешь. Самая лучшая за-
щита — нападение, а самая доступная тема для обсуж-
дения — личная жизнь.

— Только не твоя. — Она встретилась с ним взглядом. — Ты ведь никого не подпустишь к себе, разве не
так?

Гейб застыл. Ронни задела его за живое.

— Конечно, у тебя много друзей, — продолжала
она, — но нет постоянной подруги. У меня есть собст-
венная теория по этому поводу.

— Умираю от любопытства.

— Ты относишься к своим подчиненным, как к род-
ственникам. Они тебе и заменяют настоящую семью.

— И почему же я это делаю?

Ронни нахмурилась:

— Не знаю, мне надо подумать.

— Я надеюсь, ты мне сообщишь результаты своих
размышлений?

— Боже, какой ты вспыльчивый. Между прочим, не
я начала этот разговор.

— Ты права. Мне не нужно было начинать этот спор.
А ты, оказывается, интересный соперник, Ронни.

— Я просто делаю то, что считаю нужным. — Она открыла свои карты. — Я выиграла.

— Поздравляю.

— Послушай, я действительно не хотела вмешиваться в твою личную жизнь. Мне просто показалось, что это...

— Способ защиты?

— Да. Ты задавал слишком много вопросов.

— Но это единственный способ узнать что-нибудь о другом человеке.

— Я знаю Джеда уже шесть лет, но он никогда ни о чем меня не спрашивал. Он принимал меня такую, какая я есть.

— Значит, он полностью лишен чувства любопытства, что довольно странно для журналиста. Ну хорошо, я прекращаю задавать вопросы. Ответь только на последний.

— Какой? — осторожно спросила Ронни.

— Ничего личного. Я просто хочу знать, почему ты приехала за мной.

— Мне понравилось твое лицо.

— Прости, что?

— Где бы я ни видела твои фотографии, твое лицо рождало во мне чувство надежности. Я не видела никого, кто бы выглядел таким сильным и уверенным в себе, как ты. К тому же, я слышала о том, как ты заботишься о своих людях. Мне это очень понравилось.

— Господи, только этого мне недоставало.

— Ну что, что я такого сказала? Ты ведешь себя так, словно я тебя оскорбила.

— Ты относишься ко мне, как к отцу.

— Глупости, у меня уже есть отец.

— Ах, да, тот самый Эван, — мрачно произнес Гейб. — Когда я с ним увижусь?

— Никогда. Он уже уехал из Саид-Абабы.

— И оставил тебя одну? Похоже, твой отец не очень-то заботится о тебе. — Он сжал губы. — Так вот, запомни, я не собираюсь становиться вашим папочкой. В конце концов, мне только тридцать семь, и я не готов удочерять взбалмошного ребенка.

— Ты что, совсем рехнулся? Да мне от тебя ничего не нужно. Все, о чем я тебя прошу, так это не делать глупости, от которых мы оба можем пострадать, — воскликнула Ронни. — И потом, я уже *не* ребенок, и мне не нужно, чтобы меня опекали.

— Ну ладно, ладно. — Гейб протянул руку, пытаясь остановить поток ее слов. — У меня нет никакого права осуждать тебя, ведь ты спасла мне жизнь. Извини меня. Давай забудем об этом.

Но Ронни не могла успокоиться.

— Пойми, — снова начала она, — нет ничего плохого в том, что тебе нравится чье-то лицо.

— Конечно, нет, — устало согласился Гейб. — И вообще, я должен радоваться. Никогда еще никто не жертвовал своей жизнью ради моей физиономии.

Ронни задумалась. Много ли она знала о Гейбе Фолкнере? А вдруг она не только оскорбила его мужское эго, но нанесла и более глубокую рану? Она почувствовала необходимость загладить свою вину.

— У тебя лицо, а не физиономия. Его нельзя назвать красивым, но в нем есть характер.

— Не забудь сказать о чувстве надежности.

Ронни удрученно вздохнула:

— Поскорее бы уж Фатима принесла нашу одежду.

— Зачем? Я уже привык к своей наготе. Или я шокирую тебя?

Ронни сделала вид, что не заметила насмешки.

— Ты разрешишь мне сделать снимок?

— Снимок?! — Гейб удивленно вскинул брови. — Куда же девалась твоя девичья скромность?

— Ты прекрасно знаешь, что я имела в виду. Я хотела сделать несколько фотографий, пока мы торчим здесь. Я не сделала ни одного снимка с того момента, когда ты побежал по улице.

Гейб с удивлением посмотрел на нее.

— Ты что, хочешь сказать, что снимала все с самого начала побега?

— Конечно. Но мне пришлось остановиться. Все происходило слишком быстро, а жаль.

— Полагаю, мне стоит поблагодарить тебя за то, что ты посчитала мою жизнь важнее удачного снимка.

— Не говори глупости. Я прекрасно знаю, что важнее. И все же, — мечтательно продолжила она, — могло получиться очень здорово. Столько событий. Ну ничего, я еще поснимаю.

Она достала фотоаппарат.

— Не сейчас. Я предпочитаю, чтобы на фотографиях меня украшало не только чувство собственно достоинства, но и кое-что из одежды. Понимаю, тебе не терпится утолить свою страсть, но придется подождать. Хотя, если бы ты согласилась утолить мою страсть, я бы пошел тебе навстречу.

Ронни покраснела.

— Я лучше подожду.

— Жаль, — ответил он.

В его голосе, в его позе была какая-то особенная чувственность. Ронни ощутила, как напряглась ее грудь под полотняной простыней, обмотанной вокруг тела. Что с ней в самом деле происходит?!

— Перестань, — резко ответила она. — Я не понимаю, почему мужчины считают, что все споры с женщиной должны заканчиваться в постели.

— Это совершенно не обязательно, но может быть интересно.

Она скорчила гримасу.

— Вот видишь, ты такой же, как и все.

— И кто эти «все», позволь полюбопытствовать? — В его голосе чувствовалось раздражение.

— Тебя это не касается. — Она неопределенно махнула рукой, решив сменить тему. — Это очень хороший фотоаппарат.

— Я не сомневаюсь, что у тебя замечательный фотоаппарат, но он меня не интересует. Не волнуйся, я не собираюсь снова затевать спор. Просто мне хотелось бы прояснить несколько вещей. Прежде всего я не собираюсь исполнять роль твоего отца. Во-вторых, у меня нет привычки ложиться с женщинами в постель, чтобы снять стресс или выиграть спор. Я всегда воспринимал секс исключительно как форму наслаждения и считал, что заниматься им надо умело и с удовольствием. У меня действительно не было женщины уже больше года. Я изнемогаю от желания. Но мне не нужна ни одна из женщин Фатимы. Я предпочитаю подождать, пока не найду действительно желанную партнершу. — Он помолчал. — Сказать, что произойдет, когда я встречу такую женщину?

Ронни смотрела на него, словно загипнотизированная. Сердце готово было выпрыгнуть из груди.

— Праздник, — тихо сказал Гейб. — Это будет безумный праздник любви.

Ронни не слышала, как открылась дверь. Она соскочила с кровати и повернулась к Фатиме, которая стояла на пороге с охапкой одежды в руках.

— Наконец-то, а то мы уже заждались!

— Я этого не говорил, — тихо заметил Гейб. — Ты ляжешь наконец? Сколько можно слоняться по комнате?

— Я не хочу спать. Почему ты не хочешь, чтобы я еще поснимала?

— Ты уже достаточно наснимала сегодня.

— Мало ли что может случиться с пленкой. Она может потеряться. Однажды в Кувейте я лишилась сумки с фотоаппаратом и кучей пленок. Если бы накануне я не переложила часть пленок в другое место, все бы пропало.

— Как же это произошло?

— Иракские военные. Они застали меня снимающей то, что не должно было появиться в прессе.

— Военные подразделения?

Ронни покачала головой:

— Нет, пытки гражданских лиц.

— Да ты просто сумасшедшая. Такие фотографии грозят смертным приговором всему отряду. — Он помолчал. — Неужели они тебя так просто отпустили?

— Мне повезло. Они просто отправили меня в тюрьму. А через месяц началась война, и обо мне забыли.

— Тебе действительно повезло. Они ведь могли просто расстрелять. А где в это время был Джед? Ждал очередного ребенка?

— Не говори глупости. Он тогда еще не был знаком с Изабел. Он был в Вашингтоне. Джед даже не знал, что я в Кувейте. Я уже говорила, что была внештатным журналистом. Это была моя работа, мой хлеб.

— Я не видел эти фотографии у него в программе.

— А я их и не отдавала ему.

— Почему?

— Слушай, опять ты задаешь мне вопросы?

— Почему ты не отдала Джеду эти фотографии?

Гейб явно не собирался сдаваться.

— Потому что я отправила их в Комиссию по правам человека, чтобы они использовали их как доказательство на военном суде. Я боялась, что если они появятся в эфире, то потеряют свою обвинительную силу. И сделала я это вовсе не из благородства или мягкости, — взахлеб продолжала она. — Просто мне показалось, что так будет правильно. Хотя, конечно, это был сентиментальный поступок. Я тогда только вернулась из Кувейта, где пролежала в больнице. Наверное, это климат на меня так подействовал.

— Тебе не нужно оправдываться, — тихо сказал Гейб. — В какой-то момент человек выбирает для себя самое главное.

— Да, но это мог быть отличный репортаж, — вздохнул Ронни.

— Это и был отличный репортаж. Мы просто не

сможем увидеть его на экране. — Гейб облокотился на спинку кровати. — Если ты такая везучая, то как оказалась в больнице?

— Истощение организма. Нас не очень-то хорошо кормили в тюрьме, и у меня немного сдали нервы.

— Нервы?

— Я не могу находиться в закрытом помещении. У меня начинается клаустрофобия.

— Все зависит от твоего сознания. Через какое-то время это становится похоже на игру.

Ронни с удивлением посмотрела на него.

— Ничего себе игра. Тебя окружают одни стены и давящая тишина. Я помню, как ночами лежала в кромешной темноте. Мне казалось, что я не доживу до утра.

— И ты, уже однажды испытав это, не побоялась снова ввязаться в такое рискованное дело? Тебя чуть не убили! Ладно, хватит ходить туда-сюда. Ложись спать. Завтра понадобятся силы.

— Я не устала, но ты прав. Надо отдохнуть.

— Правильно. — Он похлопал по кровати рядом с собой. — Ложись.

Ронни легла на край постели и свернулась клубочком.

— Можешь погасить свет.

— Мне он не мешает.

Ронни вздохнула с облегчением. Сегодня ей не придется лежать в глухой темноте, мучаясь кошмарами. Ее нервы были на пределе. Она не была уверена, что сможет выдержать эту ночь.

— На самом деле я уже практически избавилась от страха темноты. Врач сказал, что осталось совсем немного...

— Ты когда-нибудь замолчишь, неугомонная болтушка, — проворчал Гейб.

— Прости. — Она на секунду замолчала. — Ты уверен, что свет не мешает?

— Единственное, что мне мешает, это ты. — Он придвинулся к ней и обнял. — Спи.

— Что ты делаешь?

— Я так лучше буду спать. Нет ничего хуже, чем остаться со своими страхами один на один.

— Ты боишься?

— Я же не бесчувственный чурбан.

Ронни почувствовала, как напряжение постепенно покидает ее. Она расслабилась, прижалась к Гейбу и закрыла глаза.

— Все будет нормально. Тебе не нужно бояться, — успокаивала она его. — Я вызвала вертолет с твоими людьми. Мы договорились, что они будут ждать на границе Седихана моего сообщения. В пещере, недалеко от границы, спрятан радиопередатчик. Мы сможем связаться с ними оттуда. Завтра ночью ты уже будешь на безопасной территории. А может быть, и раньше.

— Меня это радует. — Гейб провел рукой по ее волосам. — Ты похожа на общипанного утенка.

Звук его ласкового голоса, прикосновение руки к волосам действовали удивительно успокаивающе. Она зевнула.

— Мне приходится их постоянно стричь. С длинными волосами не очень удобно, особенно во время работы.

— Представляю, как бы они тебе мешали, когда ты ползла по тем узким сточным трубам.

— Но мы же пролезли, так ведь? И смогли добраться сюда. — Ее язык заплетался. — Не бойся, все будет хорошо.

— Только если ты сейчас же замолчишь и дашь мне уснуть.

Глава 3

На самом деле свет очень раздражал Фолкнера. Первые шесть недель заключения яркий свет ламп непрерывно ослеплял его, не давая заснуть. Он мечтал о темноте. Она казалась ему спасением и высшей благодатью.

Но для Ронни Далтон все было наоборот.

Он покрепче обнял ее хрупкое тело и почувствовал, как она слегка напряглась. Даже во сне Ронни не расслаблялась полностью. В ней было удивительное сочетание дерзкого и забавного ребенка и умудренной опытом женщины. Решимость и уверенность в себе порой сменялись мягкостью и сомнениями. В какой-то момент ему показалось, что она полностью раскрылась перед ним, но уже через минуту снова замкнулась в себе. Он почувствовал, что она очень одинока.

Гейб еще сильнее прижал ее к себе и тихо выругался. Он не мог понять, откуда в нем появилось это чувство нежности. Всего за несколько часов Ронни стала ему ближе, чем кто-либо за всю жизнь. Его влекло к ней, и ему было понятно это физическое желание. Она так доверчиво уснула в его объятиях, словно ребенок-сирота, ищущий укрытия от опасного и жестокого мира. И одновременно казалась олицетворением женственности, хрупкой и нежной. Гейб почувствовал, как в нем снова нарастает возбуждение. Он глубоко вздохнул, пытаясь унять дрожь. «Ладно, одну ночь я буду заботливым отцом, ничего со мной не случится, — думал он. — Интересно, что чувствует приемный отец, когда его воспитанница в один прекрасный момент вырастает и превращается в женщину? Между ними нет никаких кровных связей, и они обычно ведут себя не как отец и дочь, а как друзья».

Проснувшись, Ронни увидела, что Гейб Фолкнер сидит в кресле напротив и наблюдает за ней.

— Который сейчас час? — Она резко села на кровати и опустила ноги. Бросив быстрый взгляд в окно, с облегчением поняла, что до рассвета еще далеко.

— Начало седьмого.

— Я спала, как убитая.

— Ничего подобного. — Гейб встал и потянулся. — Ты ворочалась всю ночь.

Судя по всему, Гейб вообще не спал. Но, несмотря на его ленивые, сонные движения, Ронии видела, что он бодр и готов к действию.

— Я привыкла спать в любой обстановке, — сказала она.

— И все-таки хорошо бы поскорее убраться из этой обстановки.

Ронни улыбнулась ему через плечо.

— Я могу, по крайней мере, почистить зубы?

— Можешь. — Гейб немного расслабился. — Только не увлекайся.

Ронни остановилась в дверях ванны:

— Мы выйдем отсюда через пятнадцать минут. Тебе надо снова надеть бороду и вставить линзы. Фатима принесет местную одежду, бурнус и солнцезащитные очки.

— Тебе не кажется, что очки будут выдавать маскировку?

— Да нет, мы же будем в открытом джипе. В пустыне все носят очки.

— А какую роль будешь играть ты?

— Я — твой водитель. — Она скорчила недовольную мину. — В длинном покрывале, в чадре — все, как полагается. Так что тебе еще повезло.

— Женщина за рулем? Здесь, на Ближнем Востоке? — недоверчиво спросил Гейб.

— Не волнуйся, это встречается здесь на каждом шагу. Женщины в Саид-Абабе часто возят мужчин. Для этого, правда, необходимо разрешение ближайшего родственника мужского пола. Она же должна знать свое место. Милая страна, правда?

— Мне тоже так показалось.

Ронни вдруг опять вспомнила те кадры видеосъемки, на которых Гейб избит и покалечен.

— Все пройдет как по маслу, — уверенно сказала она. — Я достала такие документы, в подлинности которых никто не усомнится, даже если нас и остановят. Они ничего с тобой больше не сделают. Обещаю тебе, Гейб.

Он улыбнулся ей.

— С таким защитником я чувствую себя в полной безопасности. Теперь, когда я совершенно спокоен, ты можешь чистить зубы, сколько хочешь.

— Я же говорила тебе, что не будет никаких проблем. — Ронни выжала сцепление, и джип стал быстро набирать скорость. — Все идет гладко, как по маслу.

Гейб обернулся и посмотрел, как город постепенно исчезает из вида.

— Мы проехали патруль, и за нами вроде никто не гонится, но ведь у Красного Декабря есть вертолеты.

— После того, как мы доберемся до холмов, они уже не смогут вычислить нас. — Она стащила с себя тяжелую чадру и парик. — Как же в них жарко! Если бы мне пришлось провести в чадре больше одного дня, я бы пристрелила первого, кто попробовал бы снова нацепить ее на меня. Нужно бороться с мужским шовинизмом.

— Бог ты мой, как это жестоко, — пробормотал Гейб. — А ты никогда не думала, что именно неуверенность и слабость заставляет нас, бедных шовинистов, прятать лица наших женщин от других мужчин?

— Это их проблемы. Ты не должен причислять себя к их числу. Ты же не шовинист. Иначе ты бы не стал посылать женщин-журналистов в военные зоны.

— Иногда на меня что-то находит, но вообще-то я стараюсь с этим бороться. Вот, например, сейчас я хочу попросить тебя снова надеть чадру.

— Это еще зачем?

— Тихо, не надо сразу спорить. Я просто думаю, что тебе следует прикрыть чем-нибудь голову от солнца.

— Ах, да! — Она подняла чадру и снова обвязала ее вокруг головы. — Я об этом не подумала. Ты прав.

Такая покорность несколько удивила его.

— Да, я хочу быть независимой и самостоятельной,

но при этом я не идиотка. Мне не хочется следующие месяцы провести в больнице, приходя в себя после солнечного удара. У меня другие планы.

— Какие же?

— Не знаю, может быть, Югославия.

Ронни увидела, как помрачнело его лицо.

— Ты что, не знаешь, что снайперы отстреливают журналистов?

— Я маленькая, меня не заметят, — усмехнулась Ронни. — Я не самая лучшая мишень.

— Очень смешно. — Его голос звучал совсем невесело. — Почему бы тебе не отдохнуть несколько месяцев... разумеется, если ты выберешься отсюда целой и невредимой?

Ронни покачала головой:

— Мне быстро становится скучно.

— И поэтому ты отправляешься на поиски опасных приключений? — Он был явно раздражен.

— Нет, — аккуратно поправила его она. — Я отправляюсь фотографировать. В Югославии можно сделать интересный материал.

— Нисколько в этом не сомневаюсь. Если тебе повезет, ты попадешь в какой-нибудь секретный концентрационный лагерь. Или тебя изнасилуют. Или...

— Не пугай меня, — перебила его Ронни. — Я подсчитала, что у меня уже было достаточно неудач за последние пять лет. Теперь должен начаться счастливый период.

— Ну да, конечно, — пробормотал Гейб.

— Да что с тобой? Что ты причитаешь? В конце концов, у тебя тоже были такие поездки. К тому же, я не твоя сотрудница.

— Не моя? — Он бросил на нее взгляд, полный отчаяния. — А по-моему, ты как раз моя сотрудница. Именно такая, какая мне нужна.

Ронни почувствовала легкое волнение. Она знала о его умении подчинять себе людей, самому контролировать ситуацию, но ей было странно испытать это на себе.

— Ты забыл, что я работаю самостоятельно. У меня нет никакого желания стать очередным звеном в твоей цепи.

— А почему бы нет? Я могу предложить тебе большие деньги и безграничные возможности.

— Я независимый журналист, — снова повторила она. — И мне это нравится.

— А мне нет, — сухо сказал Гейб. — Если бы я был твоим начальником, я бы мог, по крайней мере, знать, что ты в очередной раз задумала. Черт возьми, соглашайся!

— Ну, уж нет. Я знаю, ты хочешь меня отблагодарить, но тебе не нужно этого делать.

— Так, значит, ты просто попрощаешься со мной и уедешь?

— Не совсем. Это ты уедешь, точнее улетишь. Как только мы попадем в Седихан, я пойду своей дорогой, а ты — своей.

— Мне не нравится такой сценарий.

— Тем хуже для тебя. — Она помолчала секунду. — Послушай, тебе вовсе не нужно расплачиваться со мной за помощь. Это я обязана тебе. Так что теперь мы квиты.

— Ты мне обязана?

Ронни кивнула:

— И что же я такого сделал для тебя?

— Неважно. — Она застенчиво посмотрела на него. — Может быть, это ты вдохновил меня на подвиги.

— О боже! То приемный отец, теперь — вдохновитель... — пробормотал Гейб. — Что-то я слабо верю во всю эту романтическую чушь.

— Твое право.

— Почему ты считаешь, что обязана мне?

Ронни промолчала.

— Ты же знаешь, я не успокоюсь, пока не добьюсь ответа, — мягко сказал он.

Упрямство Гейба было известно. Ронни поняла, что допустила ошибку.

— Посмотрим. Я думаю, что ты все забудешь, прежде чем вернешься в Штаты.

— Нет, не забуду. — Он помолчал. — В моем списке незабываемых людей ты — первая.

В ее списке он тоже занимал первое место. Он был человеком-легендой, за которым она наблюдала все эти годы. Может быть, одной из причин, по которой она так стремилась его освободить, было желание и самой стать свободной. Но вместо этого она почувствовала себя связанной еще сильнее.

— Я польщена, но тебе надо пересмотреть список. Нет смысла зацикливаться на людях, с которыми вы больше никогда не пересечетесь. — Ронни показала рукой на холмы, виднеющиеся впереди. — Видишь ту голую вершину? Прямо за ней есть небольшое плато, куда может сесть вертолет.

Ронни видела, что ему явно что-то не нравится.

— Что я должна сделать, чтобы ты был доволен? Снова нацепить эту идиотскую тряпку на лицо и смиренно ждать твоих указаний? Тебя чем-то не устраивает мой план?

Гейб неожиданно улыбнулся:

— Извини, просто ты опять задела мое самолюбие.

Его улыбка была такой теплой и такой искренней, что Ронни на мгновение растерялась. Трудно оставаться безразличной к человеку, который может признавать свои ошибки. Еще труднее будет его забыть.

— Ладно, я тебя прощаю.

— Я чрезвычайно тебе благодарен.

Пока Гейб пытался связаться со своими людьми, Ронни разводила костер.

— А кто такой Джон? — спросила она, когда он выключил рацию.

Гейб подошел поближе и уселся на землю с другой стороны костра.

— Джон Грант.

— Вы давно работаете вместе? Он так разволновался.

— Семь лет. Он был продюсером моей первой программы «Новостей». Сейчас он вице-президент. — Гейб перевел дух. — Если честно, я и сам разволновался. Я не был уверен, что когда-нибудь еще увижу его.

Он не скрывал своих эмоций, как обычно делают мужчины. Ронни это понравилось. Он нравился ей все больше и больше.

— Когда я настраивала связь, я разговаривала с Дэниелом Брэдлоувом.

— Дэн — мой помощник.

— Они любят тебя. — Она скорчила недоверчивую гримасу. — Конечно, легко любить своего начальника, когда он находится за тысячи километров от тебя, а не стоит над душой каждый день.

— Если честно, то они действительно доверяют мне независимо от того, рядом я с ними или далеко. Конечно, я могу ошибаться.

Костер наконец разгорелся, и Ронни присела рядом на корточки.

— Нет, правда, они так обрадовались возможности вытащить тебя. Брэдлоув даже предложил поехать со мной.

— Тебе стоило согласиться. В трудную минуту на него можно положиться.

Ронни рассмеялась:

— Интересно, куда бы мы его дели в борделе? Под кровать?

— Знаю точно, что не в кровать, — сказал он хриплым голосом. — Между нами было слишком мало место.

Она вспомнила, как он лежал рядом с ней, как ее ноги обнимали его обнаженные бедра.

— Вертолет прилетит только через час. Я сказала, чтобы они не появлялись, пока совсем не стемнеет. Если хочешь, я приготовлю кофе.

— Если только ты сама хочешь. Я и так слишком взвинчен. В моей крови сейчас слишком много адреналина.

Он лежал на земле, опершись головой на руку, не сводя глаз с Ронни. Оба молчали.

— Я никогда не была в Хоовер-Дэм. Это ведь в Аризоне?

Гейб кивнул:

— Я стараюсь посещать достопримечательности, когда оказываюсь в Штатах и у меня есть время. Последний раз я была в Йозмите, а год назад в Вашингтоне. Ты когда-нибудь видел памятник Декларации независимости?

— Конечно.

— Что значит «конечно»? В том-то и дело, что мало кто знает этот памятник. Экскурсовод сказал мне, что теперь он не пользуется такой популярностью, как раньше. Я не понимаю, почему. Мне кажется, что все должны увидеть его.

— Кто все?

— Ну, все, — нетерпеливо ответила она. — Нация.

Он улыбнулся:

— Понятно.

— Американцы даже не знают, что у них есть.

— А ты знаешь?

— Еще бы. Я побывала во многих странах, где даже не слышали о конституции. Поэтому считаю, что нам повезло.

— Твоя речь была такой страстной.

Ронни решила оставить эту реплику без ответа. Они опять замолчали.

— Может быть, ты не будешь так смотреть на меня? — не выдержала Ронни. — У меня такое чувство, будто меня разглядывают под микроскопом.

— Но ты ведь редкий экземпляр, — ответил Гейб, — и мне очень интересно за тобой наблюдать.

— Не понимаю, почему. Я самая обыкновенная. А вот работа у меня действительно очень интересная.

Она потянулась к кожаной сумке, достала камеру и навела объектив на Гейба.

— Освобожденный узник отдыхает, — прошептала она.

— Ради бога, убери эту чертову штуку.

— Ну хорошо. — Она опустила камеру. — Я дождусь вертолета и тогда сфотографирую, как ты улетаешь навстречу закату.

— Навстречу луне, — поправил он.

Вдруг до него дошел смысл сказанного.

— Что ты имеешь в виду? Как ты можешь сфотографировать мой отлет, если сама будешь в вертолете?

— Нет, — сказала Ронни. — Мы расстаемся здесь. Я поеду в Седихан на джипе.

— Черта с два. Ты же сама говорила, что небезопасно добираться до границы на машине.

— Вдвоем с тобой — да.

— Но ты же тоже журналист. Что будет, если тебя остановят на границе?

— Я постараюсь проскользнуть незамеченной. Я — мелкая рыбешка. Их интересует рыбка покрупнее.

— Ты просто знаток местной рыбалки, — язвительно сказал Гейб, — но мне почему-то кажется, что на этот раз главным блюдом можешь стать именно ты. А теперь объясни мне вразумительно, почему тебе обязательно нужно ехать одной через пустыню.

Ронни посмотрела на огонь.

— Зачем мне бросать на дороге почти новый джип?

— Я заплачу за этот чертов джип. Если ты сделаешь хоть один шаг в его сторону, я вытащу из него мотор и разбросаю запчасти по всей пустыне.

— Тогда я пойду до границы пешком.

Гейб в изумлении уставился на нее.

— А ведь у тебя хватит ума сделать это. Прошу тебя, Ронни, объясни, почему ты не хочешь лететь со мной в вертолете?

Она ничего не ответила.

— Если ты мне не скажешь, я отправлю вертолет обратно, а сам поеду с тобой.

— Ты не сделаешь этого.

— А ты проверь.

Она сжала кулаки.

— Ты что, хочешь все испортить? Хочешь, чтобы тебя опять отправили за решетку?

— Нет. И не хочу, чтобы ты там оказалась.

Ронни постепенно сдавалась:

— Там будет слишком много шумихи.

— Что, прости? — удивился он.

— Твой вертолет наверняка будут встречать журналисты и ЦРУ, и...

— Какая разница, кто меня будет встречать? Ты же сама журналист.

— Большая разница, — горячо воскликнула она. — Ты будешь в центре внимания, и мне, наверное, тоже не удастся его избежать. А я не могу этого допустить.

— Но почему?

— У меня есть на это причины.

— Ни одна из этих причин не стоит твоей жизни.

— Это уж мне решать, — сказала Ронни. — И если ты действительно считаешь, что обязан мне, ты сядешь в этот вертолет и перестанешь вмешиваться в мою жизнь.

Гейб замолчал, встретившись с ее сверкающим взглядом.

— Хорошо, я улечу на вертолете.

— И не будешь настаивать на том, чтобы я поехала с тобой.

— Зачем мне тратить время? — Гейб встал и отвернулся. — Я даю торжественное обещание, что не буду даже пытаться уговорить тебя спасти собственную шкуру.

Глава 4

Вертолет немного покружился над ними и приземлился на зеленую поляну.

— Пошли скорее. — Ронни взяла Гейба за руку, и они побежали к вертолету. — Надо торопиться. Эти огни может кто-нибудь увидеть.

— Я не могу оставить тебя одну посреди пустыни.

— Чем раньше ты улетишь, тем раньше я отправлюсь в дорогу.

Дверь кабины раскрылась, и на землю спрыгнул худощавый мужчина в кожаной куртке.

— Брэдлоув, это вы? — крикнула Ронни, когда они подбежали поближе.

— Точно.

Ронни достала из сумки фотоаппарат и повернулась к Гейбу.

— Иди вперед, я хочу сфотографировать вашу встречу.

Гейб бросился вперед и схватил мужчину за руку. Глаза Брэдлоува радостно блестели в свете прожекторов. Наклонившись к Гейбу, он что-то говорил ему. Ронни не могла их слышать из-за гула мотора, но это могли быть только слова приветствия, добрые слова.

— Убери свой фотоаппарат, — крикнул Гейб. — Лучше познакомься с моими друзьями.

Ронни видела, как он растроган встречей. Она подошла к ним.

— Дэн Брэдлоув, Ронни Далтон, — представил он их друг другу. — Ронни сказала, что вы уже знакомы заочно. Вы ведь разговаривали по телефону.

Ее рука утонула в широкой ладони Дэна.

— Бог ты мой, я и не думал, что вам удастся все это провернуть. Вы просто какое-то чудо!

Дэн оказался приятным молодым мужчиной около тридцати лет, с копной вьющихся темно-русых волос и карими глазами, которые восторженно взирали на Ронни, словно она была Матерью Терезой и Мишель Пфайффер в одном лице. Ронни почувствовала себя неловко.

— Привет, — коротко сказала она. — Вам следует поторопиться. — Она повернулась к Гейбу и протянула руку. — Тебе пора. До свидания.

Он взял ее руку. Она почувствовала, как тепло разлилось по ее телу, как и тогда, когда он впервые дотронулся до нее. Гейб смотрел на нее почти спокойно, но Ронни понимала, что это видимое спокойствие. Ему явно не нравилось все происходящее. Ей тоже. Но у нее не было выбора.

— Ты не мог бы оказать мне одну услугу? — Она открыла сумку и достала отснятую пленку. — Сохранить это для меня. Я пришлю за ней, как только буду в безопасности.

— Ты не хочешь, чтобы ее отняли, когда тебя схватят? — язвительно спросил Гейб.

— Меня не схватят. Это обычная мера предосторожности. Ты сохранишь ее?

Он взял пленку и убрал ее в карман.

— Поехали со мной!

Робко улыбнувшись, Ронни покачала головой.

— Это невозможно. Ты же обещал не давить на меня.

— Я и не буду. — Он махнул рукой в сторону пилота. — Это Дэвид Кэролл.

Обернувшись, Ронни увидела загорелого человека, чья широкая улыбка белела в свете приборной доски. Наклонившись, он протянул ей руку.

— Рад познакомиться.

— Я тоже.

Резкая боль взорвалась у нее у голове. Ронни потеряла сознание.

— Гейб, ты что, с ума сошел? — в ужасе кричал Дэн.

— Возьми ее фотоаппарат, — бросил ему Гейб, подхватывая обмякшее тело Ронни на руки. — Она меня кастрирует, если с ним что-нибудь случится.

— Думаю, она в любом случае это сделает. Удар в челюсть — не самый лучший способ отблагодарить человека за то, что он спас тебе жизнь.

— У меня не было выбора. Иначе она, рискуя своей жизнью, пыталась бы в одиночестве добраться до границы.

Он забрался в кабину, усадил Ронни на заднее сиденье и пристегнул ремень.

— С ней все будет в порядке? — спросил пилот. — Она упала как подкошенная.

— Ты ее довольно сильно ударил, — укоризненно сказал Дэн.

— Заткнись и залезай в кабину, — огрызнулся Гейб.

Дэн запрыгнул в кабину и захлопнул дверь.

Когда вертолет поднялся в воздух, он повернулся к Гейбу:

— Я полагаю, у тебя были причины для этого. Почему она не хотела ехать с нами?

— Не знаю точно. Она говорила, что якобы не хочет светиться, не хочет оказаться в центре внимания.

Он аккуратно повернул ее голову, так, чтобы ей было удобно. Синяк уже начал выступать на ее нежно-розовой коже. Гейб чувствовал себя одним из тех извергов, которые издеваются над женщинами. Ему повезет, если, очнувшись, она не убьет его на месте.

— Кто нас будет встречать в Марасефе?

— Там, конечно, будут наши журналисты. Ну и, — Дэн скорчил недовольную физиономию, — нам пришлось сообщить ЦРУ, что тебя освободили, чтобы они смогли вывести своих людей из опасной зоны. Это значит, что информация просочится и в другие информационные службы.

— Другими словами, там будет целая толпа журналистов.

— Да, но наши будут впереди, — быстро ответил Дэн. — А как только официальные власти увезут тебя во Франкфурт для медицинского осмотра...

— Никакого Франкфурта.

— Ты же знаешь, что все пленные отправляются в больницу для обследования.

— Но это вовсе не значит, что я тоже туда поеду.

Он повернулся к Ронни. Она выглядела такой же хрупкой, как фарфоровые куклы, которых когда-то коллекционировала его тетя.

Он наклонился вперед, к Дэвиду.

— Поворачивай на юг. Мы не летим в аэропорт.

Ее несли по длинному коридору, стены которого были отделаны слоновой костью с позолотой. Мимо проплывали удивительные картины в резных рамах с орнаментом.

— Музей? — прошептала Ронни. — Как я оказалась в музее?

— Это не музей. Это дворец, — ответил Гейб.

Он внес ее в комнату, такую же роскошную, как и коридор.

— Спасибо за помощь, Дэн. А теперь уноси ноги, пока не поздно.

— С удовольствием, — ответил тот. — Увидимся позже.

Ронни положили на что-то шелковое и мягкое. Затем Гейб куда-то исчез. Через несколько секунд она почувствовала на щеке холод и открыла глаза.

— Не дергайся, — тихо сказал Гейб. — Дай мне приложить лед, чтобы опухоль поскорее спала.

И вдруг Ронни поняла, что с ней произошло.

— Это ты ударил меня?! — Она задыхалась от ярости.

— Я не мог поступить иначе. У меня не было выбора.

От сильного удара в живот у него перехватило дыхание.

Преодолевая боль, Гейб разогнулся.

— Спасибо, что не взвела курок.

— А надо было бы, — жестко сказала Ронни. — Ты это заслужил.

— Подожди! — перебил ее Гейб. — Я согласен, что заслужил наказание. Делай, что хочешь. Хочешь — ударь меня еще раз. Я не буду сопротивляться.

Ронни медленно разжала кулаки.

— Ты не должен был этого делать. У тебя не было права.

— А у тебя не было права ставить меня в безвыходное положение. Ты думаешь, мне нравится бить женщин?

— Откуда мне знать? — Она осторожно дотронулась до щеки. — Между прочим, ты довольно сильно меня ударил.

— Я не думал, что ты так долго будешь без сознания. Рассчитывал, что ты очнешься в вертолете.

— Тебе не следовало этого делать, — снова повторила она.

Ронни обвела взглядом огромную комнату, в которой они находились. Убранство по стилю представляло собой нечто среднее между азиатским стилем и элегантным стилем французской провинции. Роскошный турецкий диван, белый мраморный пол, покрытый кремово-голубым ковром, французские окна...

— Это гостиница? — спросила она.

— Нет, это дворец.

Ронни не помнила, чтобы Гейб когда-нибудь упоминал что-либо о дворце.

— Что за дворец?

— Королевский дворец Седихана. Ты так упорно не хотела появляться перед журналистами, что Дэвид по моей просьбе высадил нас на территории дворца, а не в аэропорту. Я связался с шейхом Бен Рашидом и получил его разрешение. Он также обещал охранять наш покой и не пускать сюда никого, пока мы окончательно не придем в себя.

У нее появилась надежда предотвратить катастрофу.

— Значит, никто пока не знает, что я здесь?

— Пока нет. — Он помолчал. — Но я не буду врать тебе. Нам придется сообщить властям, что я нахожусь здесь. Кроме того, Дэн сообщил твое имя ЦРУ как инициатора операции.

— А они могли сообщить его прессе! — Она глубоко вздохнула, пытаясь сосредоточиться. — Но все еще можно исправить, если уйти прямо сейчас. — Она огляделась. — Где моя сумка?

— Она осталась в вертолете, — ответил Гейб. — Я считаю, что тебе нет смысла уходить. Возможно, кто-то и услышит о тебе, но никто не сможет добраться до тебя, пока ты здесь.

«Действительно, нет смысла, уходить. Слишком поздно», — подумала Ронни.

— Ты должен был оставить меня в Саид-Абабе, — попыталась она возразить еще раз.

— Поздно. Что сделано, то сделано. Ты уже здесь. Прекрати ныть.

— Ты прав. Нет смысла плакать над разбитым стаканом. Надо просто убрать осколки.

— Предоставь это, пожалуйста, мне, — сказал Гейб. — Но прежде объясни, что именно необходимо предпринять и чего ты так боишься?

— Это тебя не касается.

— Не могу с тобой согласиться. Я привез тебя сюда, а значит, несу ответственность за все, что будет происходить дальше. Думаю, что прежде всего тебе необходимо выспаться. Да и мне не помешает отдохнуть.

Ронни взглянула на королевскую кровать, стоявшую в другом конце комнаты под прозрачным балдахином. Ей вдруг вспомнилась та кровать, на которой они спали с Гейбом в ту ночь, у Фатимы.

Будто угадав ее мысли, Гейб сказал:

— Ты не можешь не согласиться, что я создал для тебя гораздо более шикарные условия, чем ты для меня недавно.

Ронни бросило в жар. Он что, думает, что сегодня они опять будут спать вместе? Она бросила на него отчаянный взгляд.

— Я ухожу. Мне нужно выспаться, — спокойно произнес Гейб.

Ронни испытала облегчение и разочарование одновременно.

— Я и не думала, что ты останешься, — безразлично ответила она.

— Нет, думала. И я думал. — Он отвернулся и пошел к двери. — Я разбужу тебя завтра около десяти. Мы позавтракаем вместе и поговорим.

— Я встаю в шесть.

— Тогда наслаждайся роскошью и бездельем, пока я не приду. А сейчас, извини, мне надо пойти засвидетельствовать свое почтение Его Величеству и попросить его о нескольких одолжениях. Завтра я собираюсь задать тебе ряд вопросов и надеюсь получить на них вразумительные ответы.

— Посмотрим, — уклончиво ответила Ронни.

— Я повторяю — мне нужны вразумительные ответы.

— Слушай, а что ты сделаешь, если я скажу, чтобы ты шел куда-нибудь подальше со своими проклятыми вопросами? Снова ударишь меня? — Она вздернула подбородок.

— Нет, я найду другой способ узнать их.

У нее было нехорошее предчувствие, что Гейб не остановится, пока не узнает все до конца. Ну и что с того? В конце концов, она и раньше сталкивалась с упрямыми мужчинами и всегда оказывалась победительницей. Но ей совсем не хотелось сражаться с Гейбом Фолкнером. Она уважала его, восхищалась им.

Ронни медленно подошла к окну. Она увидела уютный дворик, в центре которого возвышался мозаичный фонтан со специальной подсветкой. От этого вида веяло покоем и теплом. На душе стало легко. Впервые после нескольких недель, проведенных в Саид-Абабе. Ей следовало бы найти свою сумку и покинуть дворец, но она уже знала, что не сможет этого сделать. Не случится ничего страшного, если она проведет здесь всего одну ночь. Она устала, ей нужно принять ванну и выспаться.

Однако Ронни понимала, что все это — только предлоги. Правда была в том, что она не могла расстаться с Гейбом Фолкнером. Он довольно долго был частью ее жизни. И теперь Ронни хотела, чтобы они расстались спокойно, без ссоры.

— Ну, наконец-то! — С этими словами Ронни обратилась к Гейбу, когда тот вошел к ней на следующее утро. — Я ненавижу, когда люди не пунктуальны. Да что с тобой? Ты выглядишь ужасно.

— Ничего. Просто я не выспался. Вчера долго не мог заснуть. Наверное, это последствие долгого нервного напряжения. Вот уж никогда не думал, что это может со мной случиться. Вообще-то я не отношусь к особо чувствительным.

«Но ты достаточно чувствителен в своих отношениях с другими людьми», — подумала Ронни. Она испытала прилив симпатии к этому удивительному человеку. И чувство вины. Гейб всегда выглядел таким сильным и мужественным, что она почти что забыла, что ему пришлось пережить.

— Ты так и будешь стоять? — спросила она. — Садись и поешь чего-нибудь. Она уселась рядом со столиком, который слуги недавно вкатили в комнату, и, положив на тарелку яичницу с беконом, протянула ее Гейбу. — Когда я была в заключении в Кувейте, то мне безумно хотелось бекона. Я просто умирала от желания. Иногда мне казалось, что я чувствую его запах. А у тебя не было никакого безумного желания?

— Было. Но я должен признаться, что это была не еда. Что же касается еды, то меня вполне устраивает биг-мак. Я привык к такой пище, когда стал корреспондентом и много ездил. Почти в каждой стране, где я побывал, был «Макдоналдс». Это как кусочек дома, что-то типично американское.

Гейб взглянул на нее.

— Синяк все еще виден.

— Ничего, у меня бывали и похуже, — с улыбкой сказала она. — И сама я тоже ставила синяки посильнее.

— Ты мне это продемонстрировала вчера. — Он дотронулся рукой до живота. — Хочешь посмотреть на свое произведение?

— Я думаю, не стоит. — Дрожащей рукой она налила кофе сначала Гейбу, затем себе. — Я прекрасно знаю свою силу.

Постепенно разговор коснулся опасной темы. Гейб так возбужденно рассуждал о сексе, что Ронни не выдержала.

— Я думаю, тебе стоит поскорее увидеться с Морой Ренор. Ты уже позвонил ей? Я уверена, она не заставит себя долго ждать и с удовольствием кинется к тебе в кровать.

— Чтобы «снять стресс»? Я уже говорил тебе, что не использую для этого женщин. — Он откинулся на спинку стула. — К тому же я не хочу Мору.

От этих слов Ронни почувствовала радость и удовлетворение.

— Почему?

— Может быть, я предпочитаю мою подопечную.

Она в замешательстве посмотрела на него.

— Что? Меня?

— Да, — ответил Гейб. — Именно тебя, и никого другого.

Он хотел ее. Может быть, это желание было спровоцировано той недавней близостью, но оно не исчезло с тех пор. Он хотел заняться с ней любовью. Она почувствовала уже знакомую истому, охватившую ее тело, как в ту ночь у Фатимы.

— Почему ты молчишь? — мягко поинтересовался Гейб.

Она поднесла чашку ко рту.

— Ты, наверное, самое похотливое животное на свете. Тебе нужна Годзилла, а не я. К тому же я не твоя подопечная.

— Но, к сожалению, ты и не Годзилла, — засмеялся Гейб.

Она пожала плечами, стараясь выглядеть как можно равнодушнее.

— У меня нет никакого желания залезать к тебе в постель и утолять твой накопившийся за год сексуальный голод. — Она сделала глоток. — Я, собственно, ждала тебя, чтобы попрощаться. После завтрака я уезжаю.

Улыбка исчезла с его лица.

— Это был незабываемый опыт, — продолжала Ронни. — Я надеюсь, у тебя все будет хорошо. Кстати, мне нужен мой фотоаппарат и та пленка, которую я тебе вчера дала.

— Ты готова уйти, захлопнув за собой дверь, толком не попрощавшись, но ты не забыла спросить про пленку, — язвительно сказал Гейб.

— Это все, что у меня есть, — просто ответила Ронни.

— И что я должен, по-твоему, на это ответить?

— Ничего. Просто верни мне фотоаппарат.

Гейб отрицательно покачал головой.

— Как бы не так. У меня в руках оказался довольно ценный «заложник». Я, пожалуй, отдам его тебе в обмен на...

— На что? — осторожно поинтересовалась Ронни.

— На информацию. Я отдам тебе фотоаппарат, если ты мне расскажешь, чего ты так боишься.

— Ничего не выйдет. Я лучше куплю себе новый фотоаппарат.

— Да, но не такой, как этот. Он ведь с тобой уже давно и практически стал частью тебя.

Гейб был прав. Она копила деньги почти год, чтобы купить этот фотоаппарат, и она очень любила его.

— Ну, скажи мне, — упрашивал ее Гейб, — что мне нужно сделать, чтобы ты поверила, что я не предам тебя? Ради бога, ты что, не видишь, что я хочу помочь тебе?

— Ты не можешь помочь мне. Ты и так все испортил тем, что привез меня сюда.

— Тогда я хочу исправить свою ошибку. Пойми, Ронни, я не собираюсь причинить тебе вред.

Она никому не раскрывала свою тайну, даже Джеду. Было так тяжело хранить молчание, так хотелось с кем-нибудь поделиться.

— Ронни?

— У меня нет паспорта, — внезапно сказала она.

— И это все? — Его лицо просветлело. — Ты его оставила в Саид-Абабе? Никаких проблем. Мы тебе сделаем дубликат.

— Ты не понял. Я не потеряла паспорт. Он у меня поддельный.

Гейб замер.

— Поддельный?

— Да. Я купила его на черном рынке. И если кто-нибудь начнет копать, то выяснится, что он фальшивый. Как я вернусь в Штаты? Я журналист, черт возьми, мне нужно быть там, где что-то происходит...

— Подожди минуту, — прервал ее Гейб. — Давай по порядку. Почему тебе вообще понадобилось покупать паспорт? Почему ты не могла получить его?

— Да потому, что я не являюсь гражданкой США, —

раздраженно ответила она. — Когда выяснилось, что мой отец не указал в иммиграционной анкете о преступлении, его депортировали и лишили гражданства. Это было еще до моего рождения.

— Понимаю, — сказал Гейб. — И тебе пришлось расплачиваться за его грехи.

— Не совсем. — Ронни мрачно улыбнулась. — Меня арестовали правительственные агенты в Эль-Сальвадоре за то, что я работала на Эвана в качестве шпионки. Ему, правда, удалось вызволить меня, но я все равно осталась преступницей.

— И сколько тебе было лет, когда ты совершила это ужасное преступление?

— Одиннадцать. Эван начал использовать меня, когда мне было восемь. Никому ведь не придет в голову подозревать ребенка. — Она посмотрела на него с убитым видом. — Ты зря иронизируешь. Это и было ужасное преступление. Эван говорил, что он всего лишь удовлетворяет вечный спрос на информацию. Если даже он и не будет этим заниматься, то всегда найдутся люди, готовые продавать и покупать.

— Ты делала то, что тебе говорил твой отец. Ты же была ребенком!

— Когда мне было пятнадцать, я сказала отцу, что не буду больше заниматься этим, но было уже поздно. Для иммиграционной службы возраст не имеет никакого значения. У меня были проблемы с законом, а значит, мое появление в стране не приветствуется. То же касается и моего отца. Серые личности не имеют права голоса.

— Никакая ты не серая личность, черт возьми! Насколько я понял, ты боишься, что пресса докопается до твоего неблагополучного прошлого.

— Конечно, и ты это прекрасно знаешь. Через две недели они уже будут знать обо мне все, вплоть до того, сколько у меня родинок. Твое освобождение — самая шумная история года. Сейчас все только и будут говорить об этом. Моя история может всплыть на этой волне.

— Мои сотрудники не пользуются методами желтой прессы.

— Ты говоришь так только потому, что чувствуешь себя виноватым за то, что привез меня сюда. До правды может докопаться любой журналист, и это вовсе не будет желтой прессой.

— Ну, хорошо, предположим, я признаю, что поставил тебя в неловкое положение. Что ты предлагаешь?

— Лягу на дно и не вернусь в Штаты. А Джед направит меня в новую командировку.

— В Югославию, например?

— Может быть.

— Ну уж нет, — яростно воскликнул Гейб. — Надо придумать какой-нибудь другой выход.

— Какой? Ты думаешь, я не пробовала? — Она перевела дыхание. — Мне нравилось думать, что я американка. Я чувствовала себя американкой.

— Но если ты не американка, то какой ты национальности?

Она пожала плечами.

— Не знаю. Отец думал, что мать — шведка, но он не был уверен. — Ронни горько улыбнулась. — Ты не сможешь понять. Это совсем другой образ жизни. Ты путешествуешь из одной страны в другую, нигде не остаешься подолгу, нигде не чувствуешь себя дома. Ты то, что написано в паспорте, и, когда паспорт устаревает, устареваешь и ты. Тогда ты покупаешь себе новый, и вот ты уже другой человек.

— Боже! Отличная жизнь для ребенка.

— К этому привыкаешь.

— Ну да, конечно.

— Да, привыкаешь. Ты живешь сегодняшним днем, радуешься всему хорошему, что встречается у тебя на пути, и не обращаешь внимания на все остальное.

— Готов поспорить, что было много таких вещей, на которые нельзя не обращать внимания.

— Ради бога, перестань делать из меня мученицу. Я никогда не голодала, у меня всегда был ночлег. Знаешь, я ведь могла родиться и в Сомали.

— Зато у тебя была бы родина. Твой замечательный отец лишил тебя этого.

— Он вовсе не был замечательным. Его и отцом-то можно с трудом назвать, но он не был и монстром. По крайней мере, с ним было весело.

— Помолчи секунду и дай мне подумать, — перебил ее Гейб. — Должен же быть какой-то выход. — Он щелкнул пальцами. — Точно! Мы поженимся.

Ронни была в шоке. Она уставилась на него, как на сумасшедшего.

— Это самая идиотская идея, которую я когда-либо слышала. Что это, по-твоему? Кино со счастливым концом? Иммиграционная служба имеет богатый опыт фиктивных браков ради получения гражданства. — Ее голос вдруг задрожал: — Я больше всего в жизни хочу получить американское гражданство. Если бы это было так просто, я бы заплатила какому-нибудь американцу, чтобы он женился на мне.

Гейб задумчиво смотрел на картину, висящую на противоположной стене комнаты.

— Значит, нам надо будет сделать так, чтобы все поверили, что наш брак не фиктивный. Если мы убедим в этом общественность, мне будет легче чего-либо добиться через официальные каналы.

— Ничего не получится, — покачала головой Ронни.

— Получится. Сейчас я — герой дня, а ты — женщина, спасшая меня.

— И если я выйду за тебя замуж, то все решат, что я — искательница приключений, воспользовавшаяся состоянием человека, который долго был в заключении и не мог трезво оценить ситуацию.

Гейб улыбнулся:

— По-моему, я довольно трезво оцениваю ситуацию.

Ронни вдруг захотелось довериться ему, почувствовать себя защищенной.

— Решайся, — подбодрил он ее. — Давай раз и навсегда покончим с этой историей. Мы ничем не рискуем?

— Но почему? — прошептала она. — Почему ты так настаиваешь? Я уже сказала тебе, что ты мне ничего не должен. Все долги уже выплачены.

Гейб нежно дотронулся до ее щеки.

— Долги тут ни при чем. Я вообще не из-за благодарности хочу помочь тебе.

— Тогда из-за чего же?

Его глаза засверкали.

— Из-за корысти. Это даст мне шанс затащить тебя к себе в постель. Мы же уже выяснили, насколько я изголодался по женщинам. К тому же я верю, что зло должно быть наказано. И еще я лелею мысль наставить преступника на путь истинный.

— Прекрати. Это не повод для шуток.

Улыбка тут же исчезла с его лица.

— Я серьезен, как никогда. Ты вытащила меня из ада, ты вернула мне свободу. — Он протянул ей руку. — Разреши мне помочь тебе, Ронни.

Несмотря на его уверенность и твердое желание действовать, Ронни считала, что его усилия будут бесполезны. Им никогда не удастся убедить всех в подлинности их брака. Никто лучше ее не знал, каким циничным может быть мир. Ей не хотелось рисковать. До сих пор жизнь была довольно сносной, а те безумные детские мечты не стоили того, чтобы ради них губить всю жизнь. И все-таки... Все-таки она не могла прислушаться к словам Гейба.

«Да, это риск, — думала она. — Но я всегда ходила по краю пропасти, с тех пор как родилась. А эта игра, которую затеял Гейб, по крайней мере, может принести то, о чем я всегда мечтала. Даже если я проиграю, у меня будет возможность провести несколько недель рядом с этим человеком, о котором я не переставала думать последние десять лет».

Она медленно подошла к нему и взяла за руку.

Через пятнадцать минут в своей комнате Гейб давал указания Дэну:

— Организуй завтра пресс-конференцию в час дня.

— Только для нас? — спросил Дэн, направляясь к телефону.

— Нет, для всех радиостанций и редакций газет. В общем, для всех.

По другой линии Гейб набрал номер сенатора Кораса в Вашингтоне и, пока его соединяли, снова обратился к Дэну:

— Мне нужна информация об Эване и Ронни Далтон. Все плохое, все хорошее и все, что посередине. Мне это нужно иметь к пресс-конференции.

Дэн присвистнул:

— Это будет нелегко. Я могу рассчитывать на помощь Ронни?

— Нет, тебе придется заняться этим самому. Она не скажет ничего, что могло бы очернить ее отца. У нее до сих пор сохранились какие-то чувства к этому ублюдку.

— Не очень ли ты суров? — Дэн снова взялся за трубку. — Между прочим, это естественно — испытывать теплые чувства к собственным родителям.

— Да, если они этого заслуживают. Если они не используют тебя...

Он остановился, пытаясь совладать с гневом, переполняющим его. Мысль об Эване Далтоне и о той жизни, которую из-за него вела Ронни, приводила его в ярость. Что с ним, черт возьми, происходит? Обычно он не судил людей столь пристрастно, но этот Далтон использовал ребенка. И не просто ребенка, а Ронни — такую открытую, честную и ранимую девочку.

Гейб вдруг вспомнил их разговор у костра. Ее серьезное и немного печальное лицо, когда говорила о том, что хочет посмотреть памятник Декларации независимости. Сам он не мог представить себе жизнь без некой стабильности, без корней. Удивительно, как ей удалось выжить в таких условиях и стать такой необычной и мужественной женщиной, с которой он познакомился два дня назад. Только два дня? Казалось, что прошла уже целая вечность. За это время он успел испытать самые разнообразные чувства: желание, уважение, раздражение, жалость...

Гейб услышал приветственные слова сенатора на другом конце провода.

— Да, Гарри, привет. Я в порядке. Просто звоню поблагодарить тебя за помощь. Я понял со слов Дэна, что с самого начала переговоров о моем освобождении ты не оставлял президента в покое. Да, это твоя заслуга. Извини, но у мня к тебе еще одна просьба.

— Мне это не нравится. — Ронни нервно сжимала кулаки в карманах кожаного пиджака, идя рядом с Гейбом по коридору. — Почему мне нужно быть там?

— Потому что ты — героиня дня, — спокойно объяснил Гейб. — Почему ты так нервничаешь? Ты же была на тысяче таких пресс-конференций.

— Да, но обычно я сама задавала вопросы и фотографировала.

— На вопросы буду отвечать я. А ты будешь просто позировать.

— Может быть, ты отправишь меня в салон Элизабет Арден, чтобы меня там приодели.

— Я не думаю, что в Седихане есть салон Элизабет Арден. К тому же ты и так прекрасно выглядишь. — Он бросил оценивающий взгляд на ее синие джинсы, рубашку и потертую кожаную куртку. — Милое ангельское лицо. Манера поведения, правда, немного грубоватая, но это неважно. Это делает тебя еще более интересной и непредсказуемой.

— Спасибо, — сухо ответила она и облизала пересохшие губы. — Это ужасная идея. Ничего не выйдет, я уверена.

— Если не выйдет, мы придумаем что-нибудь другое. — Он остановился перед дверью в конференц-зал. — Послушай, Ронни, я знаю, тебе придется нелегко, но я буду рядом с тобой все время. Обещаю, что никто и ничто не принесет тебе больше страданий, — добавил он медленно.

Она посмотрела на него. Его взгляд был источником силы и уверенности. Ронни почувствовала, насколько крепкими стали узы, связывающие ее с ним.

— Если даже ничего не получится, я не буду винить тебя.

— Но я буду винить себя, — тихо возразил Гейб. — Я буду так сильно винить себя, что не переживу этого. — Он дотронулся пальцем до ее губ. — Так что я не могу этого допустить, правда?

Ее губы были мягкими и чувственными. Если бы Ронни заговорила, то ее слова обернулись бы ласковым поцелуем. Но она не могла позволить себе такой интимный жест.

Гейб вдруг лукаво улыбнулся:

— Обещай мне одну вещь, ладно?

В этот момент Ронни готова была сделать для него что угодно.

— Какую? — прошептала она.

— Не говори никому, что ты мне нравишься.

Глава 5

Ронни смотрела на толпу журналистов и фотографов. Среди них мелькнул Джеймс Кэтрик — корреспондент из Кувейта. Она узнала еще несколько знакомых лиц. Ей хотелось оказаться там, среди них, а не на этом дурацком подиуме.

Пресс-конференция продолжалась уже более часа, и все внимание было сосредоточено в основном на рассказах Гейба о его заключении. Как только кто-нибудь задавал вопрос о ее роли в совершенном побеге, он тут же менял тему или обещал вернуться к этому вопросу позднее. Если повезет, то, быть может, удастся досидеть до конца, не привлекая к себе особого внимания.

Ронни внимательно слушала Гейба.

— А теперь, после того, как мы обсудили все печальные подробности, перейдем к наиболее впечатляющей и увлекательной части этой истории, — торжественно произнес он. — Дэн подготовил пресс-релиз со всеми подробностями моего побега. К тому же, я уверен, до вас уже наверняка дошли слухи об участии в нем моей коллеги. Нет, я неправильно выразился. Это было даже не участие. Она одна спланировала, подготовила и провела эту операцию от начала и до конца, без помощи правительства или частного агентства.

По залу пронесся гул.

— Она сделала это, рискуя быть убитой или самой попасть в плен, — продолжал он. — И поверьте мне, последнее было для нее не меньшим риском, так как ей уже пришлось испытать это на собственной шкуре. Позвольте мне рассказать вам несколько фактов из жизни

Ронни Далтон. Вы все знаете ее работы. В ее послужном списке есть репортажи из Сан-Сальвадора для Джеда Корбина, о митингах в Лос-Анджелесе, об урагане в Хоумстеде. Но вы вряд ли слышали о других эпизодах ее жизни. О том, например, что она отправила пленку, запечатлевшую зверства и насилия над мирными жителями, в Комитет по правам человека вместо того чтобы дать ее в эфир.

Ронни почувствовала, как кровь прилила к ее щекам. «Не стоило рассказывать об этом Гейбу», — с отвращением подумала она.

— Вы также, вероятно, никогда не слышали о том, что в Сомали она сама, без сопровождения, вела грузовик с гуманитарной помощью в деревню, где зверствовали бандиты.

Гейб с улыбкой посмотрел на нее.

— Прости Ронни. Я знаю, ты хочешь убить меня на месте. — Он снова повернулся к журналистам: — Вам, может быть, будет интересно узнать, что она заплатила за этот груз из собственного кармана и предложила такую же помощь пострадавшим во время урагана в Хоумстеде. Перед вами сейчас находится уникальная женщина. Я никогда не встречал более отважного, более честного человека и более достойного представителя Соединенных Штатов. — Он помолчал секунду. — В ее жизни было несколько не очень счастливых моментов, о которых ей не хотелось бы рассказывать. Чтобы избавить вас от труда раскапывать детали, мы подготовили полное досье на Ронни Далтон, которое вам передаст Дэн. Единственное, чего не будет в этом досье, так это того факта, что я собираюсь жениться на этой замечательной женщине завтра днем, в четыре часа. — Он поднял руку, останавливая шквал вопросов. — Я был вдали от родины долгое время и ужасно соскучился. Надеюсь, что мои соотечественники разрешат моей жене вернуться домой вместе со мной. — Он помолчал. — Потому что без нее я домой не вернусь.

Ронни ошеломленно смотрела на него.

— Вы видите, она несколько удивлена. Мы договорились предать огласке наши отношения, но она не ожидала, что я выложу вам все. Чувствую, мне достанется за это позже.

Не обращая внимания на смех в зале, он протянул руку Ронни и заставил ее подняться со своего места.

— Давай, Ронни. Я разрешу им задать тебе три вопроса, и мы закончим на этом.

Плохо соображая, она подошла вместе с ним к микрофону. Сейчас, как никогда, ей нужна была его поддержка.

— Только попробуй оставить меня здесь одну, — шепнула она сквозь зубы.

— Я буду с тобой. — Он взял ее за руку и обратился к журналистам. — Будьте к ней благосклонны. Она заслужила это. — С этими словами Гейб поднес ее руку к губам и поцеловал.

Этот старомодный жест преклонения перед женщиной мог показаться странным. На самом деле он был удивительно грациозным, нежным и значительным. Ронни не могла оторвать глаз от Гейба. Наконец она расправила плечи и повернулась к аудитории.

— Я к вашим услугам.

Поднялся невероятный шум. Все заговорили одновременно. Гейб наклонился к микрофону.

— Три вопроса, — уточнил он.

— Как вам удалось спасти Фолкнера? Ведь все другие попытки были безуспешными?

— Мне помогал мой отец.

— Вы найдете всю необходимую информацию о нем в пресс-релизе. — Гейб указал рукой на следующего репортера. — Ваш вопрос!

— Мы никогда не слышали о вашей связи с Фолкнером. Как давно длятся ваши отношения?

— Несколько лет.

Ронни кивнула Джеймсу Кетрику. Он хитро улыбнулся.

— Ты хочешь сказать, Ронни, что спасла Гейба Фолкнера, потому что любишь его?

Ронни уже видела мысленно сопливые заголовки во всех газетах. В панике она посмотрела на Гейба. Тот бодро улыбался ей, давая почувствовать, что все будет в порядке. Ронни глубоко вздохнула.

— Ронни, — мягко подтолкнул ее Гейб.

Она повернулась к залу:

— Да. Я люблю его.

Она отступила назад, к Гейбу.

— На этом все. — Он кивнул Дэну, который тут же принялся раздавать пресс-релизы.

Суета, которая началась в зале, позволила им беспрепятственно уйти, а охранникам было приказано не выпускать никого из комнаты в течение пяти минут после их ухода.

— Ты отлично справилась, — сказал Гейб, ведя

Ронни по коридору к ее комнате. — Именно то, что надо. Достаточно профессионально и одновременно трогательно.

— Слишком мелодраматично, — поправила его Ронни. — Они будут идиотами, если поверят нам.

— Ты выглядела очень убедительно.

Ронни чуть не рассмеялась. Она чувствовала себя раздетой, вывернутой наизнанку.

— Ты должен был предупредить меня, что собираешься все рассказать.

— Ты и так нервничала. Теперь мы предупредили все возможные скандальные истории, которые могли скомпрометировать нас. Успокойся. Все позади.

— Все только начинается. Теперь мне негде спрятаться.

— Тебе не нужно прятаться.

— А тебе не нужно было говорить им, что ты не поедешь домой без меня.

— Я решил поднять ставки. Если они захотят, чтобы спасшийся пленник вернулся, им придется вернуть тебя тоже.

— Слушай, даже если Иммиграционная служба согласится, на это уйдет уйма времени.

— Ничего, мы подождем.

Ронни понимала, что он не отступится от своего. Она ускорила шаг.

— А что это ты говорил о свадебной церемонии?

— Куй железо, пока горячо. Сегодня они напишут о тебе, как о героине.

— Которая, между прочим, преступница, — мрачно добавила Ронни.

— А завтра, — не обращая внимания на ее реплику, продолжал Гейб, — я предоставлю им фотографии, которые заставят трепетать их сердца. Тебе нужен свадебный наряд. Какой у тебя размер? Восьмой?

— Шестой. Где ты собираешься найти свадебное платье?

— Дэн подыщет что-нибудь подходящее.

Все было слишком быстро, слишком нереально. Признания, свадебные наряды...

— Ты уверен, что хочешь этого?

— Да. Я никогда не был ни в чем так уверен. Все будет в порядке, Ронни.

В отличие от Гейба она не была уверена в том, что они поступают правильно. Что будет, если они проиграют? Не много ли Гейб берет на себя? Не пожалеет ли потом?

— Ты еще можешь передумать, — сказала она. — Со мной все будет в порядке.

Он чмокнул ее в кончик носа.

— А со мной — нет. Я приду поужинать с тобой в семь часов, если ты не против.

— Я буду рада.

Гейб повернулся и пошел по коридору. Ронни смотрела ему вслед. Он только что впервые поцеловал ее.

Гейб обернулся и увидел, что Ронни все еще стоит в коридоре.

— Все в порядке?

— Конечно. — Она с трудом улыбнулась и, открыв дверь, вошла в комнату.

Итак, она публично призналась в том, в чем намеренно не желала сознаваться самой себе. Она действительно любила Гейба Фолкнера.

Позже в комнату постучал Дэн. В руках он держал огромную белоснежную картонную коробку. На ней пирамидой высились коробочки поменьше.

— Боже мой, ты выглядишь, как рассыльный в старых фильмах, — воскликнула Ронни.

— Это в тех, где Джинджер Роджерс ходит по магазинам, а Фрэд Астэр танцует на потолке? — улыбнулся Дэн. — Я мог бы попросить, чтобы их доставили из магазина, но мне хотелось быть уверенным, что ты получишь все в целости и сохранности. Гейбу не понравилось бы, если бы что-нибудь потерялось по дороге.

— Но Гейб говорил только о платье.

— Признаюсь, увлекся. — Дэн бросил коробки на кровать. — Но продавщица заверила меня, что тебе не обойтись без этих вещей. Тут все: и чулки, и подвязки, и сорочка, и туфли. Кстати, я не был уверен, что купил нужный размер. У тебя седьмой?

— Почти угадал. Шестой с половиной. Все нормально.

Дэн с облегчением вздохнул.

— Слава богу, мне не придется возвращаться. Я чувствовал себя, как слон в посудной лавке, среди всех этих вуалей, платьев и всего остального.

— Гейбу не надо было взваливать это на тебя. Я вполне могла сама этим заняться.

— Гейб боялся, что тебя будут преследовать журналисты. Он решил, что на сегодня с тебя достаточно.

— Не на сегодня, а навсегда, — горячо поправила его Ронни. — Тебе часто приходится выполнять такие занятные поручения?

— Все бывает. От организации официальных встреч

с президентом до романтических встреч с Морой Ренор. Господи! Наверное, мне не стоило упоминать Мору.

Ронни попыталась скрыть раздражение.

— А почему нет? Ты наверняка знаешь, почему Гейб женится на мне. Это всего лишь фарс!

— Разве? — Дэн внимательно посмотрел на нее. — Вам виднее.

— Откуда мне знать? Я не так хорошо знаю его, чтобы судить о его поступках.

— А я знаю Гейба довольно давно, и это так на него не похоже. — Дэн пожал плечами. — В любом случае, это не мое дело.

— Насколько я понимаю, ты не одобряешь его решения жениться на мне?

— Я не говорил этого, — ответил Дэн. — Жизнь Гейба висела на волоске. В любой момент мы могли получить сообщение о его казни. А тебе удалось спасти его. Мы готовы сделать для тебя все, что в наших силах. И если замужество поможет тебе получить то, что ты хочешь, я сам готов взять тебя в жены.

— Бог ты мой, женихи просто стоят в очереди у моей двери. Скажи, а как давно ты знаешь Гейба?

— Больше десяти лет. Мы вместе работали корреспондентами в Бейруте.

— Гейб говорил мне, что в трудной ситуации на тебя можно положиться.

Дэн улыбнулся:

— Да, мы не раз оказывались в переделках. Да и ты тоже. Вся эта история в Саид-Абабе, не сомневаюсь, была рискованной.

— Можно и так сказать. — Ронни старалась казаться безразличной. — Если вы так давно знакомы, ты, наверное, знаешь его семью?

— Его родители умерли. У него есть только сестра Кэрри и ее дочь Дэйзи.

— И какая она, его сестра?

— Похожа на Гейба. Удивительная и абсолютно самостоятельная. Она вышла замуж за нефтяника из Хьюстона и тут же взяла управление компанией в свои руки. Сейчас она — вице-президент.

— У них с Гейбом хорошие отношения?

— Вполне. Но они редко видятся.

— У таких людей, как он, нет времени на семью.

Дэн нахмурился:

— Не совсем так. Когда нужна его помощь, он всегда рядом с семьей.

— В этом я не сомневаюсь.

Ронни знала эту черту в Гейбе — он всегда заботился о родных и близких людях. И вообще, она знала о нем достаточно много, но не все...

— Мне пора, — сказал Дэн. — Нужно слетать в аэропорт, встретить Джона Гранта и привезти его во дворец.

— Ты сам полетишь? А я думала, что пилот — Дэвид.

— Дэвид обычно летает в официальные поездки, а Гейба я вожу сам. Я взял с собой Дэвида в Саид-Абабу на всякий случай. Я не был уверен, что все пройдет гладко, когда мы прилетим туда. — Он улыбнулся. — Но ты полностью контролировала ситуацию. А сейчас мне пора. Если возникнут проблемы со всем этим свадебным добром, скажи мне.

— Подожди. — Она кинулась за ним. — Можно мне поехать с тобой?

— Гейб не хотел, чтобы ты появлялась на публике.

— Я и не буду появляться. Я даже не буду выходить из вертолета.

— Ну, хорошо. — Дэн пожал плечами. — Я не возражаю. Боюсь только, тебе будет скучно.

На самом деле Ронни очень хотелось поближе узнать тех, кто окружает Гейба. Во время поездки она сможет познакомиться с лучшими друзьями Гейба и послушать, что они говорят о нем.

— Я не буду скучать, — уверенно сказала Ронни.

В семь часов раздался стук в дверь. Гейб выглядел, как всегда, уверенно и бодро. Он был одет в джинсы и голубую рубашку, из-за которой его глаза казались еще более голубыми, чем обычно. Она не могла отвести от него глаз.

— Я могу войти? — нарушил он молчание.

— Да, конечно. — Ронни поспешно отступила от двери. — Стол уже накрыли. — Она показала рукой на передвижной столик посреди комнаты. — Садись, пожалуйста.

— В какой-то момент мне показалось, что меня прогонят. — Он сел напротив нее и развернул салфетку. — Ты смотрела так, словно сомневалась, делали ли мне прививку от бешенства или нет.

— Это же делают только собакам. — Взяв вилку, Ронни принялась за салат.

— Когда я уходил от тебя сегодня, мне казалось, что я счастливо отделался. Но сейчас я шел к тебе, словно в клетку с дикими животными. Кто знает, как на тебя по-

действовала пресс-конференция. Вдруг ты злишься на меня?

— Если бы я злилась, ты бы понял это сразу. Меня же видно насквозь. Знаешь, я не уверена, что тебе стоило упоминать имя Эвана в досье. Ты привлек слишком много внимания к нему.

Гейб помрачнел:

— Перестань беспокоиться за него. Он о тебе не очень-то беспокоился. И хватит об этом. Дэн сказал мне, что купил тебе платье.

— Хочешь посмотреть?

— Нет, подожду до завтра. Это же плохая примета. — Он взял булочку из корзинки. — Ты разве не веришь в приметы?

Ронни зачарованно смотрела на его руки, такие сильные и ловкие.

— Ронни?

Она отвела взгляд от его рук и улыбнулась.

— Ешь свой стейк.

— Слушаюсь, мэм.

Боже, как ей нравилась эта улыбка, эта шутливая интонация и то, как он приподнимал брови. Любовь переполняла ее. Чтобы не выдать себя взглядом, она быстро опустила глаза в тарелку и принялась за еду.

— Я слышал, ты ездила с Дэном встречать Джона.

Она кивнула:

— Да. Он очень приятный человек.

— Ты ему тоже понравилась. Дэн сказал, что никогда не видел, чтобы Джон так увлеченно с кем-нибудь разговаривал.

Ронни использовала все свое журналистское мас-

терство, чтобы заставить Джона говорить. Говорить о том, кто волновал ее больше всех на свете, — о Гейбе.

— С ним очень интересно, — согласилась она.

На протяжении всего ужина Ронни с трудом поддерживала разговор, то и дело замолкая и думая о чем-то своем. Говорить не хотелось. Хотелось просто смотреть на Гейба, наблюдать за ним, любоваться им.

— Почему ты так смотришь на меня? У меня что, пятно на лице? — спросил Гейб.

— Да, целых два, под глазами. Ты опять не выспался. Почему ты не обратишься к врачу и не попросишь какое-нибудь снотворное?

— Потому что не хочу. — Он потянулся к кофейнику. — Еще кофе?

— Нет, спасибо. И тебе не советую. Ты и так не можешь заснуть. Это из-за меня?

— Ты тут ни при чем.

— Нет, это моя вина. С тех пор, как мы приехали сюда, ты ни секунды не отдыхал. Организовывал пресс-конференцию, собирал информацию, звонил, договаривался. Тебе нужно было уехать куда-нибудь и просто отдохнуть.

— Я отдохну позже. У меня будет время после того, как устрою твою жизнь.

— Если так будет продолжаться, то скоро ты превратишься в развалину.

— Ронни, в том, что я не могу спать, нет твоей вины.

— Но, может быть, я смогу помочь. — Она встала и направилась к кровати. — Пойдем. Я часто делала это Джеду, помогая ему расслабиться. — Она обернулась и увидела, что Гейб, по-прежнему сидит за столом. — Иди же сюда.

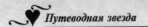

— Я не воспринимаю секс в качестве физиотерапии, в отличие от Джеда Корбина, — мрачно ответил он.

— Джед был моим другом. Ему бы это даже в голову не пришло. Одна женщина в Стамбуле научила меня делать массаж, и у меня неплохо получается. Обычно я массировала Джеду плечи, чтобы снять спазм. Снимай рубашку.

Он встал и начал расстегивать рубашку.

— Бедный Корбин.

— Почему? Потому что он был моим другом?

Гейб снял рубашку и кинул ее на стул.

— Представляю, какие адские муки он испытывал, когда ты водила по нему руками.

Гейб стоял рядом с ней. Широкие плечи отливали бронзой в свете ламп. Ронни безумно хотелось протянуть руку и дотронуться до темных волосков у него на груди, прижаться к нему. Ей стало трудно дышать.

— Я просто массировала плечи и спину, — прошептала она.

— Этого вполне достаточно.

— Ты хочешь, чтобы я тебе помогла?

— Я хочу, чтобы ты касалась меня своими руками. — Он отвернулся от нее и лег на живот. — Начинай.

Ронни глубоко вздохнула и села рядом с ним. Собравшись с силами, она нежно положила руки ему на спину и почувствовала, как он тут же напрягся. Его волнение передалось ей, пробежав по телу, словно электрический заряд.

— Расслабься, — тихо попросила она.

Она начала массировать ему спину, стараясь снять напряжение. Его кожа была гладкой и теплой. Ронни пыталась придумать какие-нибудь нейтральные слова, которые бы разрядили атмосферу.

— Ты был не прав. С Джедом ничего такого не было.

— Значит, он полный дурак, — пробурчал Гейб в подушку.

Ее руки равномерно двигались вверх и вниз.

— Я просто не в его вкусе. Ему нравится другой тип. Он без ума от своей жены. Они живут на острове, недалеко от Тихоокеанского побережья. Я была там однажды. — Ронни старалась говорить ровным голосом. — Очень красивое место.

— Правда?

— Да. А ты где живешь сейчас? — Она принялась разминать ему шею и почувствовала прикосновение густых коротких волос.

— В основном в Далласе. Еще есть дом в Аспене.

— Аспен — шикарное место.

— Не для меня. Я езжу туда только зимой, когда идет снег. Мне нравится холод и снег после жаркого лета в Техасе.

Холод. Этого она себе не могла сейчас представить.

— А мне хотелось бы поселиться в Айове. Я читала о местных ярмарках, о полях с кукурузой и пшеницей...

— Розовая мечта настоящей американской девочки.

— Ты видел вчера передачу Би-би-си? Там меня назвали «ослепительной, как звезда» невестой.

— Звучит неплохо.

— Пошло и банально.

— Так же банально, как и Айова с местными ярмарками. — По его телу пробежала мелкая дрожь. — Может быть, хватит?

— Почему?

Ронни не хотелось останавливаться. Ей хотелось прикасаться к нему, хотелось почувствовать и его прикосновение.

— Меня это не расслабляет. Мне становится только хуже.

Она увидела, что мускулы на его спине напряглись. В животе у нее что-то сжалось.

— Ты выглядишь очень напряженным.

— Еще бы. — Он поднялся и, не глядя на нее, резко соскочил с кровати. — Пытки Красного Декабря ничто по сравнению с тем, что ты делаешь.

Щеки ее покрылись румянцем.

— Тогда почему же ты не остановил меня?

Гейб медленно пошел к двери, по пути сдернув со стула свою рубашку.

— Мне понравилось. Наверное, я превратился в мазохиста.

— Гейб.

Он обернулся и, увидев выражение ее лица, покачал головой.

— Если мы будем заниматься с тобой любовью, то произойдет это не потому, что ты хочешь помочь мне расслабиться. Мне нужно гораздо большее.

Когда за ним закрылась дверь, Ронни почувствовала разочарование. Как он мог уйти, оставить ее одну сейчас, когда их так непреодолимо влекло друг к другу. Когда так приятно было дотрагиваться до него, ласкать его тело...

Она хотела его. Хотела принадлежать ему и телом и душой. Она знала, что и он страстно хочет ее.

Ждать осталось недолго. Завтра — свадьба. Неужели все это происходит с ней. Платье, цветы, гости, священник. Все это казалось ей невероятным. Такие вещи в ее представлении могли происходить только с теми благополучными милыми женщинами, которые ведут тихую счастливую жизнь в Айове и варят варенье для местной ярмарки. Но уж точно не с ней.

И все-таки это был не сон. Ронни почувствовала радостное возбуждение. Завтра...

Глава 6

— Ты замечательно выглядишь, — сказал Гейб.

— Это просто платье замечательное. — Ронни аккуратно провела рукой по длинной шелковой юбке цвета слоновой кости, затем дотронулась до изящных воздушных кружев, окаймлявших ее обнаженные плечи.

— Нет, дело не в платье.

— Ты уверен, что мне это подходит? — Она показала ему заколку, украшенную белыми розами, которая закрепляла фату. — Мне кажется, что в этой штуке я похожа на старомодную девушку.

— Все прекрасно. — Гейб подошел ближе и протянул ей маленькую коробочку. — Это тебе.

— Что это? Кольцо?

— Нет, кольцо у Дэна. А это традиционный подарок невесте.

Ронни открыла коробочку. Внутри лежали сережки. Изысканные жемчужные капельки, усыпанные сапфирами и рубинами.

— Белый, красный, голубой, — завороженно прошептала Ронни.

— На свадьбе обязательно должно быть что-нибудь голубое. Я подумал, это будет вполне в стиле ослепительной невесты. А когда ты получишь гражданство, я подарю тебе ожерелье.

— Спасибо. — Она подошла к зеркалу и начала примерять сережки. — Какие красивые! — Ее голос дрожал. — Они будут прекрасно смотреться на фотографиях.

Гейб стоял позади нее так близко, что она чувствовала тепло его тела и горьковатый запах одеколона. Она встретилась с ним взглядом в зеркале. Он смотрел на нее так пристально, что Ронни стало не по себе.

— Нам, наверное, надо идти.

— Да. — Гейб не двигался.

Ронни подняла руки и опустила на лицо фату.

— Я уверена, что этот обычай тоже изобрели мужчины.

На самом деле Ронни была рада, что на ней фата. В ней она не чувствовала себя слишком открытой, беззащитной и ранимой. Она в отчаянии пыталась найти, что сказать.

— По крайней мере, так не видно синяка.

— Да, хоть на что-то она пригодилась. — Он отступил на шаг. — Нам пора. Нас уже заждались наши друзья-журналисты.

— Опять вопросы?

— Я разрешил им только снимать, но, если кто-нибудь попытается взять у тебя интервью, его тут же вышвырнут.

— Они все равно попытаются.

— Дэн будет следить за этим. — Гейб взял ее за руку и повел к двери. — Не волнуйся, мы обо всем позаботимся.

И снова она ощутила это удивительное чувство защищенности. Ей было непривычно ощущать чью-то заботу. Возможно, в больших количествах такое отношение быстро бы наскучило ей и даже стало бы раздражать, но сейчас оно казалось Ронни удивительно приятным.

Свадебная церемония проходила в красивой маленькой часовне на территории дворца. Ронни с трудом понимала, что происходит вокруг. Корзины пурпурных гиацинтов, алых роз, белых лилий. Темнолицый священник в строгом черном наряде с накрахмаленным белым воротничком. Гейб рядом с ней, высокий и сильный. Все было словно в тумане.

— Ронни? — Гейб смотрел на нее, встревоженный ее растерянным видом. Он взял ее за руку.

Ронни бросила быстрый взгляд на священника.

— Тебе пока еще рано брать меня за руку.

— Да мне плевать, — грубо ответил Гейб и сжал ее руку.

«Может быть, он действительно любит меня?» — подумала Ронни. Она робко улыбнулась ему и снова повернулась к священнику.

Через несколько минут церемония закончилась. Гейб нежно поцеловал ее. Затем они вышли из часовни и, пройдя через розовый сад, вернулись во дворец.

Потом был праздничный стол, покрытый узорчатой

скатертью. Вереница блюд и угощений. Ледяной лебедь, возвышающийся во всей своей хрустальной красоте посреди стола. Знакомство с Его Величеством шейхом Бен Рашидом и его очаровательной рыжеволосой женой Сабриной.

Ронни ни на секунду не оставалась одна. Гейб или Дэн постоянно были рядом с ней. Ей оставалось только улыбаться, кивать и пить шампанское.

— Красивая свадьба, миссис Фолкнер.

Миссис Фолкнер... За сегодняшний вечер Ронни уже привыкла к этому обращению. Она повернулась к лысеющему мужчине в синем костюме и машинально улыбнулась. Она не узнала его.

— Спасибо, вы очень любезны.

Дэн увидел Гейба в другом конце комнаты и поспешно подошел к Ронни.

— Очень мило с твоей стороны, Пилзнер, что ты приехал.

— Как можно пропустить такое событие!

— Ронни, познакомься, это Герб Пилзнер, — представил его Дэн. — Из Иммиграционной службы.

Ронни похолодела.

— Как вы поживаете?

— Валюсь с ног от усталости. Я совершенно вымотан многочасовым перелетом и вне себя от возмущения. Меня подняли посреди ночи только из-за того, что сенатору Корасу срочно потребовались ваши документы, чтобы Фолкнер смог увезти вас с собой.

— Почему бы нам не выйти на террасу? — предложил Дэн.

— В этом нет необходимости, — отрезал Пилзнер. —

Я буду предельно краток, к тому же потом я все равно буду делать заявление для прессы. — Он повернулся к Ронни: — Мне плевать на Кораса и его друзей с Капитолийского холма или на эту газетную шумиху, которую Фолкнер организовал, чтобы вы могли получить гражданство. Вся ваша свадьба — фарс чистой воды. Мой долг — соблюдать иммиграционные законы, и я не вижу причины, по которым должен сделать для вас исключение.

Ронни почувствовала, как рушатся все ее надежды.

— Но в этом случае есть смягчающие обстоятельства, — вступился Дэн.

— Не спорь с ним, Дэн, — тихо сказала Ронни. — Ты все равно не переубедишь его. К тому же он прав. — Она встретилась взглядом с Пилзнером. — Я уважаю ваше мнение, но Гейб... — Она остановилась и перевела дыхание. — Гейб не сдается так просто.

На мгновение взгляд Пилзнера смягчился.

— Все дело в том обвинении, что вам предъявили в Сан-Сальвадоре. Я не могу закрыть на это глаза, миссис Фолкнер. — Его лицо снова приняло мрачное выражение. — А тот факт, что вы в течение нескольких лет незаконно путешествовали по стране с поддельным паспортом? Это недопустимо. Мы можем потребовать вашей выдачи.

— Ни черта вы не потребуете. — С этими словами Гейб вышел на террасу и с треском захлопнул за собой стеклянную дверь. — Вы не сможете ее никуда забрать, пока она находится в Седихане. Это абсолютная монархия, и у нее нет договора со Штатами о выдаче людей.

— Вы абсолютно правы, — согласился Пилзнер, —

но как только она выедет за границу Седихана, ситуация изменится. — Он взглянул на Ронни. — Ваша профессия предполагает путешествия, и вы не сможете находиться здесь вечно. В конце концов вы окажетесь в наших руках.

— Ради бога, она же не преступница, — закричал Гейб.

— Не могу с вами согласиться. По отношению к правительству США она совершила тяжкое преступление. — Он слегка поклонился Ронни. — Всего доброго, миссис Фолкнер. Прошу прощения, что ничем не могу вам помочь. — Он направился к дверям террасы. — Как я уже говорил, это была очень красивая свадьба.

— Ублюдок, — прорычал Гейб, когда за Пилзнером закрылись двери.

— Что будем делать? — встревоженно спросил Дэн. — Он собирается сделать объявление для прессы.

— Опереди его, — сказал Гейб. — Представь Ронни как несчастную жертву бюрократии. Не жалей красок. — Взяв Ронни под локоть, он повел ее по ступенькам в сад. — Скажи им, что мы соберем пресс-конференцию, когда вернемся из свадебного путешествия.

— Куда вы едете? — спросил Дэн.

— В Танадах. Там достаточно спокойно, и никто не будет нас беспокоить.

— Где это, Танадах? — вяло спросила Ронни, идя за Гейбом через сад.

— Это мой дом, который стоит посреди пустыни. Я живу там, когда надолго приезжаю в Седихан. — Он посмотрел на нее. — Все в порядке? Ты немного бледная.

— В порядке, — грусно ответила Ронни. — Я знала, все слишком хорошо, чтобы быть правдой. Ты единственный, кто верил в успех. — Она отвернулась. — Я успею переодеться, прежде чем мы отправимся в это твое убежище?

— Нет, тебе нельзя туда возвращаться. — Он кивнул в сторону дворца. — Тебе не дадут прохода. Мы улетим прямо сейчас. Я попрошу Дэна привезти нам завтра одежду, а твой фотоаппарат до сих пор лежит в вертолете. Это ведь самое главное для тебя?

— Да, все остальное не имеет значения.

Так было до того, как началась вся эта история. Но теперь Ронни сомневалась, что когда-нибудь сможет вернуться в прежнее состояние. Она бросила свадебный букет на мраморную скамейку в саду и, подобрав юбку, поднялась в вертолет.

Танадах оказался милым уютным домиком с белыми оштукатуренными стенами и красной черепицей на крыше. Дом окружал сад. Все излучало атмосферу уединенности и интимности.

— Ну как? — спросил ее Гейб после того, как Дэвид поднял вертолет в воздух и отправился обратно в Марасеф.

— Мне нравится, — ответила Ронни. — Здесь гораздо лучше, чем во дворце. Мне было не по себе во всем том великолепии.

— Мне тоже. — Они пошли по дорожке к двери дома. — Именно поэтому я и купил это место.

Ронни отстегнула заколку и сняла вуаль.

— Хотелось бы принять ванну. — Она посмотрела на него. — А потом нам нужно поговорить.

Они вошли в холл, отделанный дубом. Из него — в огромную гостиную. Внутри дом выглядел еще уютнее, чем снаружи. Высокие потолки, книжные полки вдоль стен, камин. Жемчужно-серые мягкие диваны и такие же стулья гармонировали по цвету с пушистым ковром. Темно-лиловые занавески закрывали длинные окна. Несколько подушек такого же цвета были хаотично разбросаны по комнате. Интерьер дома нельзя было отнести к какому-нибудь определенному стилю. Просто все радовало глаз и располагало к отдыху. В комнате были всего две вещи, носившие отпечаток восточной пышности: перламутровая мозаичная ширма и искусно сделанный золотой верблюд на кофейном столике.

— Мы здесь будем одни, — сказал Гейб. — У меня нет постоянной прислуги. Из соседней деревни два раза в неделю приходят люди, чтобы убрать в доме и саду. Я никогда не знаю заранее, когда приеду, но в доме всегда порядок, а кухня забита продуктами. Так что голодать нам не придется.

— Хорошо.

— Твоя спальня вторая справа. — Он махнул в сторону коридора. — Не торопись. Отдохни как следует. Я зайду за тобой через час, и мы посмотрим, что можно соорудить на кухне. Если что-нибудь понадобится, зови.

Ронни повернулась и пошла к комнате, которую он ей указал.

— Ронни, — окликнул ее Гейб.

Она остановилась и обернулась к нему.

— Все будет в порядке. Я понимаю, что ты расстроена из-за Пилзнера, но я все улажу.

— Ладно, потом поговорим, — слабо улыбнувшись, ответила она.

Ронни видела, что он хочет помочь и готов жертвовать собой ради того, чтобы осуществить ее мечту, но при этом все равно не мог почувствовать, насколько сильны были ее разочарование и обида. Она сама виновата. Не нужно было позволять себе мечтать и надеяться, когда она прекрасно знала все трудности и препятствия. Надо сделать так, чтобы Гейб не пострадал из-за нее. Но сейчас не о чем беспокоиться. Сейчас они здесь, вместе. И надо воспользоваться счастливой возможностью, подаренной им судьбой.

Ронни никак не могла решиться открыть дверь в комнату Гейба. «Гейб, наверное, умрет от смеха, когда увидит меня, — думала она. — Ну что ж, не стоять же здесь всю ночь». Она вошла наконец и услышала шум воды в душе. Стараясь не шуметь, Ронни закрыла за собой дверь и остановилась на пороге комнаты. Она была даже рада, что у нее есть еще несколько минут, чтобы окончательно собраться с силами.

Дверь ванны распахнулась, и Ронни увидела Гейба, совершенно обнаженного, с блестящими капельками воды на темных волосах.

— Привет, — выдавила она.

Увидев Ронни, стоящую в одной только свадебной фате, которую она использовала как накидку, Гейб замер на месте.

— Что ты здесь делаешь?

— В данный момент дрожу от холода. У меня ведь здесь нет никакой одежды. Вот я и воспользовалась фатой. Ты говорил, что тебе нравятся вуали.

— Насколько я понимаю, ты пришла сюда не для того, чтобы продемонстрировать мне вуаль?

— По-моему, это очевидно.

— А мне нет. Я же сказал тебе, что мне не нужен секс, чтобы расслабиться или снять напряжение.

Она не ожидала такой реакции.

— Я пришла вовсе не поэтому.

— А почему?

Ронни пыталась найти такой ответ, чтобы не выглядеть слишком ранимой в его глазах.

— Это был тяжелый день. Мне нужно отвлечься от мрачных мыслей, — беззаботно сказала она.

— Тогда убирайся отсюда, — грубо ответил он.

Ронни беспомощно посмотрела на него.

— Я не могу, — прошептала она. — Ты мне нужен.

— Я или любой другой мужчина?

— Ты. — Она подошла к нему ближе. Фата спустилась с плеч, оголив грудь. Ронни не стала придерживать ее. — Это можешь быть только ты, Гейб.

— Вот это мне уже нравится. — Он подхватил ее на руки и понес к кровати.

Ронни чувствовала тепло его тела, силу его рук. Положив ее на кровать, Гейб склонился над ней. Фата куда-то исчезла, полностью обнажив тело. Гейб смотрел на нее, прерывисто дыша. Потом дотронулся до груди. Она мгновенно отозвалась на его ласку. Все ее тело рвалось ему навстречу. Каждое его прикосновение вызывало сладостную истому.

Он медленно наклонился и дотронулся языком до соска. Обхватив его губами, он принялся страстно сосать его, одновременно лаская другую грудь. Ронни закусила губу, чтобы не закричать от ощущения невыразимого блаженства.

Время от времени Гейб издавал глухие гортанные звуки. Это был стон желания, возбуждавший ее не меньше, чем прикосновения его языка. Прижимаясь к ней всем телом, Гейб начал двигаться в неистовом ритме страсти.

— Я не могу больше, я так долго ждал. — Дрожь пробежала по его телу. — Извини, наверное, это будет слишком быстро.

— Это неважно, — Ронни еще сильнее обняла его. Гейб глубоко вздохнул.

— Нет, это будет нечестно. — Он раздвинул ее ноги, и рука скользнула вниз, к темному островку волос. — Я смогу немного потерпеть.

Ронни почувствовала его пальцы внутри себя. Она изогнулась и тихо вскрикнула. Гейб принялся медленно ласкать ее изнутри, вынимая и снова погружая пальцы, другой рукой нащупывая клитор. Ронни снова издала стон.

Не прекращая ритмичных движений ни на секунду, Гейб ласкал ее, усиливая возбуждение и доводя ее до неистовства. Словно издалека, до нее доносился ее собственный нечеловеческий крик.

— Тебе нравится? Еще?

— Да, еще! — Ронни металась по подушке. — Гейб, это просто чудо!

— Шшш. — Гейб убрал руки и снова склонился к

ней. — Мне надо быть осторожным, чтобы не сделать тебе больно.

Ронни, почувствовав пустоту внутри себя, сгорала от желания, а Гейб все медлил. Она обняла его за бедра и притянула к себе.

— Я хочу тебя!

Гейб посмотрел на нее.

— Ронни, я не хочу так быстро.

— Тебя!

Гейб накрыл ее своим телом и стремительно вошел в нее. Она почувствовала резкую боль и острое наслаждение.

— О господи! — Гейб пытался проникнуть еще глубже, но встретил припятствие...

— Еще! — Она судорожно вздохнула, впиваясь в него ногтями. — Мне не больно. Продолжай!

Его лицо исказило желание такое сильное, что, казалось, оно причиняет ему боль. Он застонал. Ронни поняла, что ему нравится это препятствие. Она постаралась еще больше сжаться внутри себя. Судорога пробежала по его телу. Он поднял голову и посмотрел на нее.

— Ты такая красивая. — Он провел рукой по ее волосам.

— Ради бога, сейчас не время делать мне комплименты.

— Я просто пытаюсь вести себя не как сексуальный маньяк. Не хочу причинить тебе боль.

— Но я хочу тебя! Я хочу этого! — Она лукаво улыбнулась. — А то передумаю и уйду.

— Никуда ты не уйдешь.

Гейб начал двигаться, сначала медленно, потом все быстрее и быстрее. Он обхватил ее снизу, приподнимая при каждом толчке. Их слияние было ненасытным, почти грубым. Гейб приоткрыл рот, обнажив белые зубы, щеки покрылись испариной. При каждом толчке Ронни издавала сладостный стон.

Когда наступил оргазм, ее словно вынесло из темноты на солнечный свет. Она услышала низкий крик Гейба. Испытав высшее наслаждение, он без сил упал на нее.

Глава 7

— Вот это сюрприз! — Гейб положил ее голову себе на плечо. — Как получилось, что ты до сих пор девственница?

— Мне показалось, что тебе это даже понравилось. — Ронни приподнялась на локте и посмотрела на него. — Или нет? Ты что, притворялся?

— Должен тебя заверить, что в такие моменты притворяться невозможно.

Ее лицо просветлело.

— Я надеялась, что так и есть, но не была абсолютно уверена. В следующий раз будет лучше. Я обещаю.

— Лучше некуда. Не уверен, что смогу это вынести. — Он снова положил ее рядом с собой. — Мне и так было очень хорошо.

— Мне тоже. Я никогда не понимала, почему все так кричат об этом на каждом углу. Пока сама не начала кричать. — Она засмеялась. — Это было ужасно?

— Ты не кричала. Это был сексуальный стон. Я бы не стал называть его ужасным. Он был красивым, страстным, возбуждающим.

Он наклонился и поцеловал ее.

Ронни закрыла глаза.

— Ммм, очень приятно.

— Тогда открой глаза и посмотри на меня.

Она медленно подняла веки и мечтательно посмотрела на него.

— У тебя замечательные скулы.

— Я рад, что есть хоть одна вещь, которая тебе нравится. — Он улыбнулся. — А может быть, даже две.

— Определенно две. — Ронни счастливо вздохнула. Она прижалась к нему и крепко обняла. — Ведь было хорошо, правда? Хорошо и по-настоящему.

— Тихо, тихо. — Он погладил ее по спине. — Так все и было. Почему ты так взволновалась?

— Я хочу, чтобы это продолжалось. Я хочу, чтобы это было всегда. — Она запнулась. — Забудь, что я сказала тебе. Я не это имела в виду. Ты не должен чувствовать, что я давлю на тебя...

Он закрыл ей рот поцелуем.

— Я испытываю давление с тех самых пор, как ты вошла в мою жизнь. Думаешь, почему я не затащил вчера тебя в постель? Со мной никогда не было ничего подобного. Я чувствую ответственность за тебя, хочу оберегать и быть всем для тебя. — Он ласково чмокнул ее в нос. — Я был удивлен не меньше, чем ты. Мне нравилась та жизнь, которую я вел. Никаких привязанностей, никаких обязательств. Ответственность только на профессиональном уровне. И тут появилась ты, и все изменилось.

— Да, действительно, — приглушенным голосом ответила Ронни.

Ронни подумала вдруг, что нельзя было терять контроль над собой и провоцировать его на это признание. И в то же время она была рада, что сделала это. Может быть, это был эгоистический поступок, но то, что она будет знать о его любви к себе, не причинит никому боли, кроме нее самой. А все остальное еще можно исправить.

Она еще сильнее прижалась к нему.

— Я хочу, чтобы ты знал правду, — прошептала Ронни. — Я не люблю тебя.

Гейб замер.

Он взял ее за подбородок и повернул лицом к себе.

— Ты меня обманываешь.

Она заставила себя сесть и посмотреть ему в глаза.

— Ты мне нравишься. И мне нравится быть с тобой. Но если ты хочешь большего, мне придется уйти.

— Здесь что-то не так. Чего ты боишься?

— Ничего. Я никого и ничего не боюсь. — Она подняла фату. — Может быть, мне действительно лучше уйти?

— Еще чего! — Он резко притянул ее к себе. — Никуда я тебя не отпущу.

Ронни почувствовала облегчение. Она боялась, что Гейб позволит ей уйти. Она не была готова расстаться с ним сейчас. Может быть, позже...

— Пожалуй, я останусь, если ты не будешь требовать, чтобы я поклялась тебе в вечной любви.

— Я не знаю, что происходит в твоей голове, какие нелепые мысли рождаются в ней. Я не собираюсь спорить с тобой. Просто запомни одну простую вещь. Я тебя никуда не отпущу.

— Я никуда и не ухожу. Пока.

Гейб покачал головой.

— Никогда. — Он опрокинул ее на спину и склонился над ней. — Все, Ронни, тебе придется смириться с этим.

— Это было замечательно! — сказала, отдышавшись, Ронни. — Как на американских горках, только еще лучше. Мне всегда казалось, что, когда вагончики медленно возвращаются к исходной точке, что-то теряется. С тобой все по-другому. Хочется продолжать полет до бесконечности. Ты самый лучший. — Она помолчала. — А знаешь, я проголодалась. Если ты не будешь меня кормить, у меня не будет сил.

— Если я не ошибаюсь, именно ты решила, что ужин может подождать.

— Тогда было кое-что более важное. Где здесь кухня?

— Ради бога, успокойся. После секса обычно нет сил что-либо делать.

— Кто придумал это дурацкое правило? Я полна сил и готова горы свернуть.

Гейб посмотрел на ее светящееся лицо и улыбнулся.

— Только не сейчас, хорошо? Горы далеко. Оставайся здесь. Я принесу чего-нибудь поесть. — Он встал с кровати и подошел к шкафу. — К тому же в доме прохладно, а тебе нечего надеть. Жди меня здесь. Я быстро.

Гейб накинул махровый халат и вышел. Как только за ним закрылась дверь, Ронни вскочила и бросилась к шкафу. Сняв с вешалки белую рубашку, она быстро надела ее на себя. В комоде нашлись подходящие белые носки. Почувствовав себя прилично одетой, она вышла из спальни и направилась по коридору в ту сторону, откуда доносился шум и лязг металла.

— Помочь? — игриво спросила Ронни, оказавшись на кухне.

Гейб посмотрел на нее через плечо.

— Почему ты меня не послушалась?

— Мне скучно сидеть там одной.

Он окинул ее взглядом.

— Эта рубашка идет тебе больше, чем мне.

— Мне кажется, тебе она вообще не идет. — Она встала за его спиной и взглянула через плечо на омлет, который он жарил. — Выглядит вкусно, я абсолютно не умею этого делать. Зато я могу приготовить кофе.

— Тогда готовь. На столике стоит кофеварка, а кофе в банке. — Гейб достал пару тарелок. — Насколько я понимаю, готовить здесь придется мне.

— К сожалению. Джед однажды пытался научить меня, но вскоре бросил эту затею. Он сказал, что мои кулинарные способности равны нулю. Если ты будешь готовить, я буду мыть посуду.

— Согласен. — Он разрезал омлет пополам и разложил по тарелкам. — Садись и поешь. Тебе скоро понадобятся силы.

Она почувствовала, как краска смущения заливает щеки. Удивительно, но он легко мог заставить ее смутиться и покраснеть, чего раньше не мог добиться ни один человек.

— Это тебе лучше восстановить свои ресурсы.

— Запасы моих ресурсов бесконечны. Особенно для тебя.

Ронни взяла вилку и принялась за омлет.

— Кстати, — внезапно сказала она, — тебе нельзя пить кофе. Почему ты не напомнил мне раньше? Тебе нужно наконец выспаться.

— Не могу я спать сегодня ночью. У меня были другие планы.

— Никакого кофе, — твердо сказала Ронни.

— Расскажи мне, чем ты мне обязана? Что это за таинственный долг? — вдруг спросил Гейб.

Ронни в замешательстве посмотрела на него. Такого вопроса она не ожидала.

— Теперь, когда ты мне все рассказала о своем прошлом, можно рассказать и об этом. Почему ты считала себя моей должницей? Что я сделал?

— Спас мне жизнь, — просто ответила Ронни. — Это было в Мекхите, в Турции, в 1983 году.

— Я был в Мекхите, но...

— Конечно, ты не помнишь. Ты вытащил меня из-под руин гостиницы после землетрясения. Я знаю, что была одной из многих, кого ты спас тогда, но для меня это было жизненно важно, и я навсегда запомнила этот момент. Ты остался со мной и держал меня за руку. — Она поежилась от воспоминаний. — Это была самая ужасная ночь в моей жизни.

— Я помню тебя. Но тебя звали Анита.

— Анита Вальдез. Испанский паспорт.

— А когда мы вытащили тебя, ты была ужасно грязная, но я точно помню, что волосы у тебя были темные.

— Краска. Я должна была быть похожей на испанку.

— Я чувствовал себя виноватым, когда отпустил тебя в больницу одну.

— Ты и так сделал больше, чем нужно. Весь город был в руинах. Я знала, что тебе нужно было идти и спасать других.

— По твоим словам, я просто супермен. То же самое сделал бы любой человек в такой ситуации. Кстати, я заходил в больницу на следующий день.

— Я не знала об этом. — Ронни лучезарно улыбнулась. — Как это мило!

— Но мне сказали, что ты исчезла сразу же после того, как они перевязали тебе руку.

— Там был Эван. Он видел, как меня отвели в палату, и вскоре забрал меня оттуда. Той же ночью мы уехали из Мекхита.

Ронни доела омлет и откинулась на спинку стула.

— Но с тех пор я постоянно следила за тобой. Это было несложно. Ты был на виду, становился знаменитым. Мне казалось, что все, что делаешь, достойно восхищения. Я решила стать журналистом благодаря тебе.

— Хватит петь мне дифирамбы. Просто, Ронни, мы подходим друг другу. Мы нужны друг другу. Может быть, поэтому судьба и свела нас в Мекхите.

— Только не говори мне, что веришь в судьбу.

— А почему нет? Я верю, что некоторые люди созданы друг для друга. И если тебе посчастливилось найти такого человека, нужно быть полным идиотом, чтобы упустить его.

В ту ночь в Мекхите она поверила в судьбу. Она обрела силу и уверенность в этом изменчивом мире. И огромное желание быть с Гейбом. Теперь оно исполнилось.

— Не могу с тобой не согласиться. Ты действительно знаешь, как сделать женщину счастливой. — Она встала и пошла к двери. — Сложи тарелки в раковину, я помою их утром. А сейчас у меня достаточно сил, чтобы не дать тебе скучать какое-то время. — Она бросила на него суровый взгляд. — И не вздумай пить кофе.

— Ты опять не спал, — заметила Ронни, прогуливаясь на следующее утро с Гейбом по саду.

— Я немного вздремнул.

— Что-то не похоже. Мне кажется, ты говоришь это, чтобы я отстала от тебя.

— Возможно. Ты действительно можешь быть ужасно въедливой. — Он внимательно посмотрел на нее. — И удивительно заботливой для женщины, которую интересует только мое тело.

— Да, мне хочется заботиться о тебе. — Она отвела взгляд. — Ты мне нравишься. Я не могла бы спать с человеком, который мне не нравится.

— Надеюсь. — Он взял ее за руку. — Хотя я иногда замечаю некоторую бестолковость.

— Мы говорим о тебе.

— В связи с тобой. — Он остановился рядом с гамаком, натянутым между двумя деревьями. — Да здравствует связь! Я никогда еще не занимался любовью в гамаке.

— Дело не в сексе. — Она повернулась к нему. — Скажи Дэну, чтобы он привез снотворное.

— Никаких таблеток. — Он сел в гамак и посадил ее рядом. — Послушай меня, Ронни. Я не буду принимать снотворное. Я видел немало людей, которые начинали принимать таблетки, чтобы снять напряжение, а в результате оказывались в полной зависимости от них.

Спорить не было смысла. Он все равно не изменит свое мнение. Ей придется найти другой способ. Она легла в гамак и притянула его к себе.

— Ладно, оставим это. Так даже лучше. Я буду знать, что ты всегда готов к занятиям любовью.

— Тогда почему бы нам не попробовать сейчас, в гамаке?

— Не сейчас, позже. — Она свернулась калачиком и положила голову ему на плечо. — Мне нравится твой сад. Когда-нибудь у меня тоже будет свой сад.

— Я подарю тебе этот.

— Это не то. Я думаю, чтобы это был по-настоящему твой сад, нужно его самой создавать, работать в нем, заботиться о нем.

— Это касается не только сада.

— Согласна. То же самое и с фотографией. Нужно как следует подготовиться к каждому снимку, «вырастить» его. У меня уже целый сад таких снимков. Почему ты хмуришься?

— Солнце слишком яркое. Я ненавижу яркий свет. — Он запнулся. — И что ты посадишь в своем саду?

Ронни застыла. Как же она сразу не поняла. Тогда, в заключении, яркий свет, как и темноту, использовали для пыток, не давая пленным спать, изматывая их и ломая волю.

— И сколько это продолжалось?

Гейб не стал ей лгать.

— Первые шесть недель.

Шесть недель без сна.

— Ты ничего не сказал об этом на пресс-конференции.

— Это не так уж и важно.

— И позволил мне спать со светом тогда, у Фатимы. Неудивительно, что ты не смог заснуть. Почему ты мне не сказал?

— Я в любом случае не смог бы заснуть. А у тебя была своя проблема — страх темноты.

— Господи, ведь ты только спасся от этих извергов. Я бы смогла вынести темноту, ничего бы со мной не случилось, но тебе нужно было доказывать, что ты сильный мужчина!

— Хватит плакать.

— Я не плачу.

— Тогда почему моя рубашка влажная? — Он ласково погладил ее по голове.

И снова он успокаивал ее, и снова она прячется у него на груди. Ронни вытерла мокрые щеки о его рубашку и положила его голову к себе на грудь, так, чтобы на его глаза падала тень от деревьев.

— Я бы их убила.

— Забудем об этом. Я вот сейчас могу погибнуть. От твоей красоты. — Он коснулся губами ее груди. — Лучшей смерти и не придумаешь.

Она немного ослабила свои объятия.

— Замолчи. Я не хочу, чтобы ты говорил.

— Слушаюсь и повинуюсь. На самом деле, после года лишений я не прочь понежиться в ласковых объятиях.

— Тогда лежи тихо и наслаждайся. — Она погладила его по волосам.

Тишину нарушало пенье птиц. Воздух был напоен запахом цветов. Ласковый ветер убаюкивал их. Ронни почувствовала, как напряжение постепенно покидает его. Он задремал, потом погрузился в глубокий сон. Тяжесть его тела не давала пошевелиться, но Ронни и не пыталась это сделать. Она боялась даже дышать. Неподвижно лежала в гамаке, пока не наступили сумерки, а потом и совсем стемнело.

— Ронни.

Она открыла глаза и в свете луны увидела чей-то силуэт.

Дэн присел рядом с гамаком.

— Я стучал, но мне никто не открыл. Все в порядке?

— Все отлично, — ответил за нее Гейб. — Он потянулся и сел. — Похоже, я заснул. — Он повернулся к Ронни. — А ты — отличная подушка.

— Лучше, чем снотворное?

— Гораздо. — Он наклонился и поцеловал ее в лоб. — Пошли, я попробую что-нибудь приготовить для Дэна.

— Идите, я приду через несколько минут. Я еще не совсем проснулась.

Он с любопытством посмотрел на нее, но ничего не сказал и пошел с Дэном к дому.

Ронни подождала, пока они дойдут до двери, потом попыталась встать. Боже, у нее все тело словно окоченело, а одна нога затекла так, что на нее невозможно было наступить. После двух попыток ей удалось встать на обе ноги, но идти она не могла. Пришлось прыгать по дорожке, волоча одну ногу за собой.

— Ты похожа на горбуна из «Собора Парижской Богоматери». — Гейб стоял на пороге и смотрел на нее. — Это из-за меня?

— Нет. Я сама виновата. Нужно было поменять положение.

— Но ты этого не сделала, чтобы не разбудить меня.

Она схватилась за дверной косяк. В затекшей ноге начались покалывания.

— А где Дэн?

— Я попросил его принести вещи из вертолета. — Он обнял ее за талию. — Нога затекла?

— Да, но сейчас уже лучше. Не нужно мне помогать.

— Но для меня это удовольствие. Обопрись на меня.

Она слегка облокотилась на него и вошла в гостиную.

— Не надо трястись надо мной.

— Не надо было тебе лежать в гамаке восемь часов в обнимку со мной. — Он прижал ее к себе. — Облокотись на меня сильнее. Признать свою слабость не значит потерять независимость. Как только мы доберемся до кухни, ты сядешь и будешь смотреть, как я готовлю. Если ты, конечно, не хочешь попробовать сама.

Они вошли на кухню, и Ронни заметила, как Гейб сощурился от яркого света.

— Эти лампы просто ослепительны, — сказала она.

— Что ты предлагаешь? Ужинать при свечах? — Он посадил ее на один из стульев. — Ради бога, я уже начинаю жалеть, что проговорился.

— Давно надо было об этом сказать.

— О чем он должен был сказать тебе? — поинтересовался Дэн. — В этом семейном гнездышке уже появились секреты?

Ронни подмигнула Гейбу.

— Он должен был сказать мне, что замечательно готовит. Тогда у меня давно был бы повод вызволить его из Саид-Абабы.

Глава 8

Дэн доел жаркое и откинулся на спинку стула.

— Еда богов. Спасибо, Гейб, очень вкусно.

— Приятно, когда тебя ценят. — Гейб взглянул на Ронни. — Могу я предложить другу кофе?

— Да, но только сам пить не будешь. — Ронни подошла к холодильнику и достала бутылку молока. — Дэн, в следующий раз привези, пожалуйста, нам кофе без кофеина. — Она налила стакан молока и протянула его Гейбу. — У Гейба проблемы со сном.

— Какая же ты зануда, — пробурчал Гейб, нехотя потягивая молоко.

— Занудой становишься от общения с таким упрямым чурбаном, как ты.

Дэн рассмеялся.

— Боже, вы оба ведете себя так, будто женаты уже лет десять. Если бы Пилзнер мог вас сейчас слышать, он бы тут же отправил вас домой.

Услышав знакомое имя, Ронни невольно сжалась. И тут она с удивлением поняла, что тот неприятный разговор с Пилзнером состоялся всего лишь несколько часов назад. Ей казалось, что прошла вечность.

— А что слышно о Пилзнере? — поинтересовался Гейб.

Дэн с удивлением взглянул на него.

— Вы что, не смотрели «Новости»? Об этом говорили в каждом выпуске.

— Мы не включали телевизор. И что там было?

— Для вас ничего хорошего. — Дэн пожал плечами. — У Пилзнера репутация честного и правильного чиновника. Ему доверяют. Он не совсем соответствует твоему образу бюрократа.

— Он патриот, а не бюрократ, — тихо заметила Ронни.

Не обращая на нее внимания, Гейб снова обратился к Дэну:

— А что слышно от Кораса?

— Он делает все возможное. Средства массовой информации на вашей стороне, общественное мнение, похоже, тоже. Надо продолжать давить на них и сделать все возможное, чтобы подорвать позиции Пилзнера.

— Не надо, — сказала Ронни. — Оставьте его в покое.

— Но мы не можем оставить его в покое, — раздраженно ответил Гейб. — Он ведь ключевое звено.

— Мы не будем его использовать, — продолжала настаивать Ронни. — Никаких историй, никакого грязного белья. Не нужно портить ему жизнь.

— Это он хочет испортить тебе жизнь, — возмутился Дэн. — Он пытается защитить себя и потому кричит о твоем прошлом на каждом углу.

— Я это заслужила, а он нет.

Дэн посмотрел на Гейба:

— Ты — босс. Решай, что мне делать?

— Не надо, Гейб, — повторила Ронни.

Гейб открыл рот, чтобы возразить, но передумал.

— Пока подождем. — Он повернулся к Дэну: — Я свяжусь с тобой позже. Продолжай публиковать положительную информацию. Побольше о свадьбе. И не забывай про Кораса. Он для нас сейчас главное.

Дэн кивнул и встал из-за стола.

— Я буду держать тебя в курсе. А теперь мне пора возвращаться в Марасеф.

— Ты можешь переночевать здесь, — предложила Ронни.

— И помешать вашей идиллии? Нет уж! — Он покачал головой. Потом обратился к Ронни: — Слушай, Пилзнер начал довольно активную кампанию против тебя.

— Ты мне это уже говорил, — с улыбкой ответила Ронни.

— Я просто хочу, чтобы ты не наделала ошибок. Здесь ты в полной безопасности, но, как только ты покинешь Седихан, у тебя могут возникнуть серьезные проблемы.

Из его слов следовало, что Седихан превратился для нее в тюрьму. И для Гейба тоже, если он останется с ней.

— Она никуда не торопится, — сказал Гейб. — Где еще ее будут так вкусно кормить?

Дэн рассмеялся, его лицо просветлело.

— Я и забыл, что ты на что-то годишься. Кстати, у Джона были какие-то деловые вопросы к тебе. Ничего, если он позвонит сюда?

Гейб покачал головой:

— Я сам позвоню ему.

— Как скажешь.

Как только за Дэном закрылась дверь, Гейб накинулся на Ронни:

— Прекрати вставлять мне палки в колеса. Ты что, не хочешь, чтобы мы чего-нибудь добились?

— Ты даже не представляешь себе, как я этого хочу, — спокойно ответила Ронни.

— Тогда давай расправимся с Пилзнером, пока он не сделает этого с тобой.

— Но ты не стал бы трогать его, если бы не я. Он ведь один из немногих порядочных людей в Вашингтоне.

Гейб помрачнел.

— Опять твои идеалистические представления?

— Да, но что я могу с этим поделать? У меня ведь не было особого образования, пока я жила с Эваном. Мы постоянно путешествовали, нигде подолгу не останавливались. Я черпала свои знания из газет и книг, которые случайно попадали в руки. Моей самой любимой книгой был потрепанный том Американской истории для детей. В ней было полно всяких рассказов о пилигримах и индейцах, о первом Дне благодарения и о Бетси Росс, которая сшила флаг. Я знаю, что половина этих историй — выдумка, что они слишком слезливые и приторные, но я верила им. И, похоже, я до сих пор верю им.

Гейб улыбнулся:

— Похоже, что да. И дай бог, чтобы это тебе хоть чуть-чуть помогло.

— Может быть, бог мне действительно поможет. Если только мы не будем нападать на порядочного человека. Так что не надо трогать Пилзнера.

— По-моему, ты делаешь ошибку.

— Но ты можешь исполнить мою просьбу?

— Ничего не обещаю. Я попробую найти другой способ, но не дам тебе жертвовать собой ради репутации Пилзнера.

Это единственное, чего она добилась от него. Но и этого было вполне достаточно. Гейбу не было смысла нападать на Пилзнера, если Ронни не собиралась этим воспользоваться.

Она встала и начала собирать тарелки.

— Может быть, поищешь колоду карт, пока я помою посуду? По-моему, мы уже не сможем уснуть сегодня.

Неделю спустя Гейб застал Ронни на кухне за странным занятием. Она стояла под потолком на качающейся лестнице.

— Могу я узнать, что ты делаешь? — поинтересовался он.

— Я обертываю лампочки розовой бумагой. — Она с улыбкой посмотрела на него. — Правда, романтично?

— Ты хочешь, чтобы я возбуждался прямо на кухне?

— Однажды я смотрела передачу, которую вела врач-сексолог. Она сказала, что заниматься любовью хорошо в каких-нибудь оригинальных местах, например, на кухне. — Она начала спускаться вниз. — Вот я и решила подготовиться.

— Тогда почему ты отказалась заниматься любовью в гамаке? Что может быть оригинальнее?

— Давай попробуем еще раз, сегодня ночью, под луной. В полночь я начинаю выть.

— Правда? Это интересно. — Он с подозрением

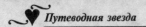

смотрел на розовую бумагу. — А ты не боишься, что она загорится, если лампы слишком сильно нагреются?

— Мы будем следить. К тому же это ненадолго. Я позвоню Дэну и попрошу, чтобы в следующий раз он привез розовые лампочки.

— А почему не красные лампочки?

— Я подумала, что красный свет будет смотреться немного сюрреалистично. А розовый — то, что надо.

— Это ты сама — что надо. — Он наклонился и поцеловал ее в губы. — Мне нравится, когда ты такая серьезная и рассудительная. А что ты планируешь устроить в спальне?

— Ничего особенного. Кстати, о спальне. Я хочу, чтобы мы начали предохраняться.

— Что-то ты поздно спохватилась, — заметил Гейб, — учитывая, что мы всю неделю занимались любовью, как сумасшедшие.

— Лучше поздно, чем никогда. Я почему-то забыла об этом. Но ведь я не одна. Это и тебя касается.

— Я думал, что ты принимаешь таблетки. — Улыбка осветила его лицо. — Так, значит, может быть ребенок?

— Нет, — остановила его Ронни. — Даже не думай об этом!

Сама она, правда, только об этом и думала. Плохо представляя себя в роли матери, Ронни безумно хотела иметь ребенка от Гейба.

— Не могу не думать. Мне хочется.

— Забудь. Если я забеременею, то...

Гейб застыл.

— Ты что, сделаешь аборт?

— Нет, разумеется, нет.

— Слава богу. Я испугался, что мне придется запереть тебя и никуда не выпускать, пока ты не согласишься оставить ребенка.

— Хватит говорить об этом. Просто теперь мы будем предохраняться, хорошо?

— Я согласен. Я буду предохранять тебя. Эта роль меня вполне устраивает.

С каждым днем, с каждым часом они становились все ближе друг другу. А для Гейба было естественным заботиться и охранять любого человека, которого он любил. Она была безумно счастлива, но Гейб, похоже, попал в ловушку, приготовленную ею самой.

— Хватит хмуриться. — Он разгладил ей морщинку между бровями. — Я почти вижу, как твои мозги шевелятся под этими золотистыми кудрями. Если ты не хочешь ребенка сейчас, я не против. Но знай, что я буду рад ребенку, когда бы он ни появился.

— Спасибо, — ответила она немного хриплым голосом.

— Пожалуйста. — Гейб отвесил шутливый поклон. — Всегда готов тебе помочь.

— Знаю. — Она сжала его руку.

Дэн прилетел в Танадах на следующий день. Ронни выбежала к вертолету, чтобы встретить его.

— Ты что-то рано. Мы думали, что прилетишь к ужину. Ты привез лампочки?

Дэн был явно чем-то расстроен.

— Где Гейб? — спросил он.

— В кабинете. Он читает бумаги, которые ты ему привез в прошлый раз. — Она внимательно посмотрела

на него. — Что случилось? Что-то, связанное с Пилзнером?

Он ласково взял ее под руку и повел к дому.

— Я думаю, нам стоит подождать Гейба.

— Я здесь. — Гейб вышел на крыльцо. — В чем
дело?

— Отец Ронни. Его ранили.

Быстро спустившись со ступенек, Гейб подошел к
Ронни.

— Красный Декабрь?

Дэн покачал головой:

— Нет. Это случилось в Тамровии. Он продавал
оружие какой-то группировке. Власти его поймали во
время одного из рейдов.

— В каком он состоянии?

— В тяжелом. — Дэн повернулся к Ронни: — Он
вряд ли выживет. Я не могу даже выразить, насколько
мне больно сообщать тебе такие новости.

— Ты уверен? — с трудом проговорила Ронни.

Она не могла поверить в то, что с Эваном может что-
то случиться, что он может умереть. Слишком легко ему
все давалось в жизни. Люди вокруг него могли страдать
и гибнуть, но не он.

— У нас надежные источники, — сказал он. — Местные власти быстро опознали его. На этот раз он путе-
шествовал с ирландским паспортом под именем Робер-
та Реадона.

— Где он сейчас?

— Его отвезли в местный госпиталь, в Белсен.

— Ты сможешь отвезти меня туда?

Дэн взглянул на Гейба:

— Кому еще известна эта информация? — спросил Гейб.

— Пока только нам, но это может раскрыться в любой момент.

Гейб повернулся к Ронни:

— Могу я привести несколько сильных аргументов?

— Думаю, нет.

— Я все равно должен сделать это. — Он обнял ее. — Это очень опасный шаг, Ронни. Как только ты пересечешь границу Седихана, ты станешь беззащитной перед Пилзнером.

— Неужели ты думаешь, что я не догадываюсь об этом.

— Ты ничем не обязана своему отцу. Он использовал тебя.

— Я тоже использовала его. Я использовала его контакты, когда ездила с ним во все горячие точки ради своих репортажей.

— Из-за него ты вела жизнь бродячей цыганки.

— Он делал для меня все, что было в его силах.

— Чтобы превратить тебя в преступницу. Ты ничем не обязана ему.

Ронни с грустью подумала, что Гейб прав. Эван, который никогда не верил ни в чувства, ни в обязательства, наверняка тоже согласился бы с ним. Но она была другой, а ее чувство к Гейбу еще больше изменило ее отношение к отцу. Хотелось узнать его поближе. И сейчас у нее, возможно, последний шанс.

— Я обязана ему за то, что случилось в Саид-Абабе, — тихо сказала она. — Он помог мне спасти тебя. Мне нужно видеть его, Гейб. Я не могу допустить, чтобы он умер в одиночестве. — Она высвободилась из его объятий и повернулась к Дэну. — Ты отвезешь меня или мне придется самой добираться?

— Мы отвезем тебя, — сказал Гейб. — Собирайся, а я пока обсужу с Дэном детали.

— Какие детали?

— У тебя же нет паспорта. Нам придется ехать в Тамровию нелегально.

Она устало покачала головой.

— Это мои проблемы. Мне не стоит вас втягивать.

— Тебе все равно не удастся отделаться от меня. — Гейб легонько подтолкнул ее к двери. — Поторопись. Чем скорее мы выедем, тем раньше приедем на место.

Когда вертолет приземлился в нескольких милях от Белсена, их уже ждала машина с шофером, чтобы отвезти в больницу.

— Из-за меня ты тоже нарушаешь закон, — сказала Ронни, когда они сели в машину и направились в сторону города.

— Я не думаю, что меня депортируют за то, что я помогал своей жене увидеть умирающего отца. — Гейб сжал ее руку. — Расслабься.

— Мне очень нужно попасть к нему.

— Я знаю, тебе наше путешествие кажется бесконечным, но мы уже почти на месте. Через пятнадцать минут будем в больнице.

— Они меня пустят к нему?

— Я сказал Дэну, чтобы он предупредил заранее.

— Спасибо тебе. Извини, что причиняю столько хлопот. — Она помолчала. — Дело не в том, обязана я ему или нет. Он ведь совсем один, Гейб. Он всегда был отшельником. Никого не подпускал к себе. Я прожила с ним восемнадцать лет, но и меня он никогда не подпускал к себе. Он очень одинок.

— Из-за него и ты была очень одинока.

— Не думаю, что он виноват в этом. Некоторые люди просто не умеют жить иначе. Мне очень хотелось, чтобы он любил меня, но он просто не умел этого делать. Как я, например, не умею готовить.

Гейб еще крепче сжал ее руку.

— Я все еще не могу поверить. Он думал, что с ним никогда ничего не случится. Он говорил, что у него девять жизней, — добавила Ронни.

Они остановились у подъезда больницы. Выходя из машины, Гейб обернулся к Дэну.

— Поезжай к Гарри Сполдингу и устрой все, как я тебе говорил. Потом возвращайся назад в больницу.

Он помог Ронни выйти из машины и, взяв ее под руку, повел по коридору к лифту.

— Он в двенадцатой палате на седьмом этаже. Но сначала нам надо будет получить пропуск у дежурной сестры.

Через минуту они были на седьмом этаже. Полная темноволосая сестра посмотрела в список посетителей.

— Ваше имя есть в списке, но мне нужно ваше удостоверение личности.

— Как он? — спросила ее Ронни.

— Он без сознания. — Она протянула им документы. — Вам надо поговорить с доктором. Он будет здесь через час. Пойдемте, я провожу вас. — Она встала и быстро пошла по коридору.

У двери их остановил охранник в форме, но сестра кивнула ему, и, посторонившись, он дал им войти. Палата была такой, какими бывают все больничные палаты, — стерильной, строгой и абсолютно безликой. И запах в ней был обычный — больничный. И только человек, лежащий на кровати, не был похож на обычного пациента. Эван явно не вписывался в эту обстановку. Он не должен быть в больнице. У него ведь девять жизней.

— Эван? — прошептала Ронни.

Взглянув на него, она поняла, что это правда — он умирает. Гейб тоже это видел. Он крепко сжал ее за руку.

— Ты в порядке?

Ронни кивнула. Гейб взял единственное кресло в комнате и поставил его рядом с кроватью.

— Садись. Я принесу себе еще одно из дежурной комнаты.

— Нет, ты иди. Со мной все будет в порядке. — Она села, не сводя глаз с бледного лица Эвана. — Оставь меня, пожалуйста, одну.

— Ты уверена?

— Он тебя никогда не знал. Ты для него — чужой человек. Он и так всю жизнь был окружен чужими людьми. — Она замолчала, пытаясь справиться с дрожью в голосе. — Подожди меня в коридоре.

Гейб вышел.

Ронни всю ночь просидела у кровати отца, едва понимая, что происходит вокруг. Гейб приносил ей то подушку, то кофе, а иногда просто стоял рядом, положив руку ей на плечо.

В четыре часа утра он снова зашел в палату.

— Нас разоблачили. Коридор полон журналистов. — Он помолчал. — И Пилзнер здесь. Я не позволю им войти сюда, но ты должна знать об этом. — Он посмотрел на безжизненное тело Эвана. — Он не подавал никаких признаков жизни?

Ронни покачала головой.

— Я говорил с доктором. Он сказал, что Эван может вообще не прийти в себя.

— Это неважно. Никто не знает, что чувствует человек, находящийся в коме. Может быть, он чувствует, что я здесь, с ним.

Гейб тихо вышел из комнаты.

Эван пришел в себя на рассвете. Его веки дрогнули, он медленно раскрыл глаза и посмотрел на Ронни.

— Как всегда, телячьи нежности?

— Ты всегда говорил, что это мой недостаток.

Он улыбнулся своей сардонической улыбкой, которую она так хорошо знала.

— Прибежала к умирающему. Я бы к тебе не помчался.

Она судорожно вздохнула.

— Я думаю по-другому.

Он внимательно смотрел на нее, и какое-то странное выражение появилось на его лице.

— Может быть...

Он снова потерял сознание и через несколько минут скончался.

Ронни не шевелясь сидела в кресле и смотрела на него.

— Ты бы пришел, Эван! — прошептала она. — Я знаю, что ты бы пришел.

Слезы, которые она так долго сдерживала, вдруг хлынули из глаз. Она встала и быстро пошла к двери.

Гейб.

Ей нужен был Гейб.

Глава 9

Гейб кинулся к ней навстречу, прижал к себе залитое слезами лицо.

— Он умер? — тихо спросил он.

— Несколько минут назад. Я никак не могу перестать плакать. Эван так ненавидел слезы. — Она подняла глаза и тут только увидела, что коридор полон журналистов с камерами. Невдалеке мелькнул Пилзнер, а рядом с ним — охранник в форме.

— Господин Пилзнер, извините, что заставила вас ждать.

— Я безумно сожалею, что мне приходится беспокоить вас в такую тяжелую для вас минуту.

Он говорил искренне. Он действительно сочувствовал ей, но это не могло помешать ему сделать то, что, по его мнению, было правильным.

Гейб протянул ей платок.

— Иди в туалет и умойся холодной водой. Тебе станет легче. Я пойду к дежурной сестре и договорюсь насчет похорон.

— Кремации, — поправила его Ронни. — Он ненавидел похороны.

— Я все сделаю и буду ждать тебя здесь. — Он повернулся к Пилзнеру: — Надеюсь, вы ничего не имеете против?

Пилзнер подозвал охранника:

— Подожди ее снаружи. И не подпускай к ней журналистов.

«Очень благородно с его стороны, — тупо подумала Ронни, войдя в туалет. — Наверное, он очень милый человек, когда дело не касается его работы. Такой спокойный и любящий муж, который каждые выходные проводит с женой и детьми».

В туалете, слава богу, никого не было. Она прошла вдоль кабинок с полуоткрытыми дверьми и, остановившись у раковины, посмотрела на свое отражение в зеркале. Выглядела она ужасно: всклокоченные волосы, красные распухшие глаза. Ронни пустила холодную воду и уже собиралась умыться, как вдруг кто-то позвал ее.

— Ронни.

Она вздрогнула и резко повернулась. Из кабинки вышел мужчина.

— Дэн!

— Пошли скорее. У нас мало времени. — Он махнул рукой в сторону дубовой двери слева от раковин. — Эта дверь соединяет женский туалет с мужским. Я сломал замок.

— Ты хочешь, чтобы я пошла в мужской туалет?

— Выход из него в другом конце коридора. — Он втолкнул ее внутрь и закрыл за собой дверь.

— Я понимаю, что ты в шоке, поэтому просто слушайся меня. Ладно?

Дэн осторожно выглянул в коридор.

— Пошли! — Они побежали к запасному выходу и

по лестнице спустились на шестой этаж. — Отсюда поедем на лифте. Так будет быстрее. Внизу ждет машина, которая отвезет нас к вертолету.

— Это ты все придумал?

— Гейб, конечно. Он не мог допустить, чтобы Пилзнер схватил тебя. А мне пришлось провести два жутких часа в той кабине, пока ты не появилась.

Двери лифта открылись, и он быстро потащил Ронни к машине.

— Гейб рассчитал, что пройдет как минимум минут пятнадцать, пока они пошлют кого-нибудь проверить, что с тобой. — Он взглянул на часы. — У нас еще десять минут, чтобы успеть выехать из города. Гейб будет удерживать Пилзнера как можно дольше, а потом незаметно исчезнет. — Он посмотрел на ее бледное лицо. — Ты понимаешь, что я говорю?

Ронни кивнула.

— А как Гейб доберется до вертолета?

— В двух кварталах от больницы его ждет другая машина. — Он ласково улыбнулся Ронни. — Не волнуйся, мы все предусмотрели. Ты не заметишь, как окажешься в Танадахе.

Гейб подъехал к вертолету вслед за ними через тридцать минут. Ронни облегченно вздохнула.

— Как все прошло? — спросил Дэн, как только Гейб забрался в вертолет.

— Я без проблем ускользнул от Пилзнера, но пришлось изрядно побегать, прежде чем смог оторваться от журналистов. Сматываемся отсюда скорее. — Гейб посмотрел на Ронни. — Как ты себя чувствуешь?

— Не знаю. Все произошло так быстро.

— Мне нужно было вытащить тебя оттуда.

— Я знаю. Спасибо. — Она откинулась назад и закрыла глаза. — У тебя будут проблемы?

— Посмотрим.

— Я не хотела, чтобы у тебя из-за меня были неприятности. Но мне нужно было увидеть Эвана.

— Риск, которому я подвергся сегодня, ничто по сравнению с тем, что ты сделала для меня в Саид-Абабе. — Он ослабил ремень, которым она была пристегнута, и прислонил ее к себе. — Попробуй немного поспать.

Ронни сомневалась, что ей это удастся, но, прижавшись к нему, она расслабилась и, почувствовав себя в полной безопасности, задремала.

Гейб помог ей вылезти из вертолета и на руках донес до дома.

— Ты совсем без сил. Я уложу тебя в постель.

— Я не хочу быть такой, как отец, — пробормотала Ронни. — Он всегда был одинок, потому что всю жизнь только брал и никогда не отдавал.

Гейб быстро раздевал ее.

— Ты не такая, как он.

— Надеюсь, что нет. Я не хочу быть одна.

— Ты никогда не будешь одна. — Он укрыл ее одеялом и лег рядом. — Я всегда буду с тобой.

— А ты почему не разделся?

— Потом. — Он убрал ее волосы со своего лица. — Я хочу просто полежать с тобой обнявшись.

Когда Ронни проснулась, Гейба рядом не было. Она взглянула на часы, стоящие на ночном столике, и поняла, что проспала двенадцать часов подряд. Прошлой ночью Ронни чувствовала себя совершенно разбитой и опустошенной. Она долго не могла заснуть, и только присутствие Гейба, его забота и нежность помогли ей избавиться от тоски и боли.

Рони встала и направилась в ванную.

Приняв душ и одевшись, Ронни отправилась на поиски Гейба.

На кухне Дэн читал газету.

— Ты выглядишь гораздо лучше.

— Я и чувствую себя лучше. А где Гейб?

— Я отвез его в Марасеф. Ему нужно встретиться с шейхом. А меня он отправил обратно, чтобы я присматривал за тобой. — Он улыбнулся. — Он не хотел, чтобы ты умерла от голода. Что тебе приготовить?

— Только тост и кофе. Это я могу сделать сама.

— Садись. Я думаю, ты заслуживаешь того, чтобы за тобой поухаживали после всего пережитого.

— Вы тоже немало пережили из-за меня, — мрачно сказала она. — Но иначе я поступить не могла.

— Я знаю. — Он налил воды в кофеварку. — Это было даже в какой-то степени захватывающе. Со мной ничего подобного не было с тех пор, как я был репортером в Бейруте.

— У тебя могут возникнуть проблемы с властями?

— Гейб говорит, что нет. — Дэн положил хлеб в тостер. — Если бы ты знала, какая шумиха поднялась после твоего побега. Ты теперь просто народная героиня.

— Но Пилзнер не сдастся. Унизительная ситуация, в которой он оказался, лишь подстегнет его.

Дэн был согласен с ней.

— Прошлой ночью он вернулся в Седихан и пытался убедить шейха сделать исключение и выдать тебя ему.

— И какие у него шансы?

— Немного. Шейх и Гейб старые друзья. К тому же Его Величество ненавидит, когда на него давят.

— Кажется, я создала международный прецедент.

— Это точно. — Дэн поставил перед ней кофе и тосты. — Но я думаю, что все будет хорошо.

— Проблема только в том, что Пилзнер оказался в дурацком положении и теперь требует мою голову. Когда должен вернуться Гейб?

— Через пару часов. Дэвид привезет его на вертолете.

Она доела тост, допила кофе и встала из-за стола.

— Когда они прилетят, попроси Дэвида не улетать сразу обратно.

— Почему? — нахмурился Дэн.

— Я полечу с ним, — сказала Ронни и вышла из кухни.

Она практически закончила собираться, когда в спальню вошел Гейб.

— Что это ты задумала?

— Я уезжаю. — Она подошла к шкафу, достала свою кожаную куртку и бросила ее на кровать рядом с открытым чемоданом. — Все кончено.

Гейб стоял в дверях и смотрел, как она складывает вещи в чемодан.

— Тебе предстоит испытать немало трудностей. Ради чего? Я не позволю тебе сделать это.

— У тебя нет выбора. Это мое решение.

— Но почему?

— Потому что я так хочу.

— Бред! Куда ты собралась? У тебя ведь нет паспорта.

— У меня есть контракты. Я могу купить любой паспорт на черном рынке.

— Только не американский. К тому же это опасно, ты можешь попасться.

— Тогда я куплю французский или испанский. Со мной все будет в порядке. Ты не должен беспокоиться.

— Но я не могу не беспокоиться за тебя, — сказал он, подходя к ней. — А ты — за меня. Это естественно, когда люди любят друг друга.

— Но я не люблю тебя. Сколько раз мне повторять это?

Он закрыл ее рот рукой.

— Тихо. Мне уже немного надоела эта старая песня. Ты любишь меня. Ты совершенно без ума от меня. И если нам повезет, у нас впереди счастливая жизнь.

— Повезет? — горько спросила она, захлопывая чемодан. — И где, интересно, мы проведем эту счастливую жизнь? Ты же возненавидишь меня. Ты не привык жить на отшибе, вдалеке от всего мира. Ты не представляешь, как это тяжело. И я не хочу, чтобы ты это испытал.

— Потому что ты любишь меня? — мягко спросил Гейб.

Она резко повернулась к нему.

— Да, потому что я слишком люблю тебя! — выкрикнула она. — Я люблю тебя! Теперь ты доволен?

— Не очень. Я бы предпочел, чтобы ты это сказала более нежно, но для первого раза сойдет.

— Сейчас все это не имеет значения. Я уезжаю и больше не вернусь. Ты можешь подать на развод.

— Никаких разводов. А если ты подашь, я его опровергну.

— Почему? — в отчаянии спросила Ронни. — Ты не понимаешь, что тебя ждет! Я никогда не смогу вернуться в Штаты. А там твои корни, твой бизнес, твои друзья.

— Я и не говорю, что не буду скучать без всего этого. — Он обхватил ее плечи. — Но без тебя я буду скучать еще больше. Я не отпущу тебя, Ронни.

— Тебе придется это сделать.

Гейб покачал головой:

— Ты беспокоишься о том, чтобы оградить меня от этой отшельнической жизни, но тебе даже не приходит в голову спросить меня, что я думаю об этом. Ты считаешь эту жизнь ужасной, потому что была одна. А теперь нас двое. И это совсем другое дело.

— Ты не знаешь, что это такое. Ты не пробовал.

— Зато я знаю, какая ты. И знаю, как нам было хорошо вместе эти несколько недель.

— Медовый месяц не может длиться вечно.

— Кто тебе сказал? Нам никто не мешает продолжать его. Главное, чтобы нам этого хотелось. — Он повернул ее лицо к себе и заглянул в глаза. — Послушай, Ронни, я нашел в тебе то, чего у меня никогда не было. И я не собираюсь от этого отказываться.

— Ничего не получится. Тебе придется проводить большую часть времени в Штатах, заниматься бизнесом.

— Я переведу головной офис сюда.

— Мне будет скучно все время сидеть в Танадахе и заниматься домашним хозяйством. Я превращусь в фурию и начну раздражать тебя.

— Никто не заставляет тебя этим заниматься. Я разговаривал с шейхом сегодня утром. Он согласился предоставить тебе гражданство. Это значит, что ты получишь паспорт.

— Настоящий паспорт? — замерла Ронни.

— Самый настоящий. Мы сможем жить здесь, в Танадахе, но ты сможешь свободно путешествовать и заниматься своим делом.

— Но только в те страны, у которых нет договора с США о выдаче преступников?

— Это правда, — согласился Гейб. — Я не могу предложить тебе весь мир, хотя очень хотел бы. Но разве мало того, что есть?

Она бросилась к нему в объятия и спрятала лицо у него на груди.

— Я люблю тебя, — прошептала она.

— Громче!

— Я люблю тебя с той минуты, когда ты взял меня за руку там, в обломках, в Мекхите. И я буду любить тебя, пока не умру.

Его глаза увлажнились, он поцеловал ее.

— Ну наконец-то! Вот это убедительное признание. Я знал, что у тебя получится, когда ты немного потренируешься.

— А что, Дэвид до сих пор ждет меня в вертолете?

— Нет, я не мог рисковать, поэтому тут же отправил его обратно.

— Жаль. Тебе придется вызвать его обратно.

Гейб замер.

— А я думал, что мы все уладили.

— Типичный мужской эгоизм. Ты все уладил так, как устраивает тебя, а не меня.

— Ронни, ради бога, не надо.

Она остановила его легким поцелуем.

— Замолчи и свяжись с Дэвидом. Не волнуйся, теперь ты не скоро от меня избавишься. Мне просто нужно кое-что сделать в Марасефе.

— Ты уверена, что хочешь увидеться с ним? — в очередной раз спросил Гейб, когда она шли по коридору гостиницы.

— Я не рассчитываю на доброжелательный прием. Но мне нужно кое-что сделать.

Она постучала в дверь комнаты.

Дверь открылась. На пороге с бесстрастным лицом стоял Пилзнер.

— Добрый день, миссис Фолкнер, я был чрезвычайно удивлен, когда вы мне позвонили. Входите.

— Спасибо. Очень мило с вашей стороны, что вы согласились встретиться со мной.

— Должен вас заверить, что вовсе не хочу быть милым с вами. — Он закрыл за ними дверь. — Не буду предлагать вам выпить. Полагаю, ваш визит будет недолгим. — Он холодно взглянул на Гейба. — Мне не очень понравилась ваша выходка в больнице.

— А мне не нравится ваше желание засадить мою жену в тюрьму. Мне больше нравится, когда она рядом со мной.

— Я выполнял свой долг.

— Не спорьте, пожалуйста, — вмешалась Ронни. — Простите, господин Пилзнер, Гейб просто беспокоится обо мне.

— Я это уже заметил, — холодно ответил тот. — Из-за него я попал в очень неловкое положение.

— Поверьте, могло быть еще хуже, — заметил Гейб.

— Я понимаю, — сказал Пилзнер. — Я еще удивлялся вашей сдержанности.

— Ронни считает вас настоящим патриотом.

— Правда? — В глазах Пилзнера мелькнуло любопытство. — Очень интересно.

— Мне бы хотелось самой все объяснить, — сказала Ронни. — Можно?

— Разумеется. Давайте поскорее закончим.

— Дело в том, что вы не сможете ничего со мной сделать, пока я нахожусь в Седихане. И шейх согласился предоставить мне гражданство.

Пилзнер сжал губы.

— Насколько я понимаю, это ваших рук дело, Фолкнер?

— Шах и мат.

— Не совсем, — возразила Ронни. — Моему мужу придется слишком от многого отказаться, а я не могу с этим согласиться. Седихан — замечательная страна, но это не его родина. — Она помолчала. — И не моя тоже.

— У вас ее вообще нет, — заявил Пилзнер. — Я думаю, вы должны быть благодарны судьбе, что вам так повезло. Вряд ли у вас будет другая возможность.

— Если только вы мне ее не предоставите...

— Я уже говорил вам, что это невозможно.

— Я хочу предложить вам сделку.

— Я не заключаю сделок.

— Прошу вас, выслушайте меня. — Она глубоко вдохнула: — Гейб собирается замять всю шумиху вокруг меня и реабилитировать вас.

— Ничего подобного, — взвился Гейб.

Ронни не обратила на него внимания.

— Если я разрешу вам отвезти меня в Штаты и предстану перед судом, мне вряд ли дадут больше пяти и, скорее всего, условно.

— Ты никогда не предстанешь перед судом, — сказал Гейб.

— Видите, он готов сделать для меня все. Он очень упорный человек. И очень любит меня, — просто добавила она.

— Теперь мне это очевидно, — сухо заметил Пилзнер. — Может быть, ваша свадьба и не была фиктивной, как я думал сначала, но это ничего не меняет. Было совершено преступление.

— Я заплачу за него. Я отбуду свой условный срок в Седихане. Останусь здесь на пять лет. И если по окончании этого срока вы по-прежнему не согласитесь дать мне гражданство, я приеду в Штаты и сдамся вам.

— Нет, — пытался остановить ее Гейб.

— Вы согласны?

— Этот договор выгоден мне больше, чем вам, —

заметил Пилзнер. — Все, что требуется от меня, — это ждать.

— Да. Но при этом желательно быть справедливым. И если вы за это время поймете, что я могу приносить пользу, то, быть может, разрешите мне вернуться домой.

— Сомневаюсь.

— Вы согласны?

— Мне нечего терять.

— Иногда стоит рискнуть ради того, что ждет тебя в будущем. — Она встала и пошла к двери. — Пойдем, Гейб.

— Миссис Фолкнер!

Она обернулась и увидела, что Пилзнер, нахмурившись, смотрит на нее.

— Я не думаю, что вам удастся убедить меня. Одно исключение влечет за собой остальные. Я не могу создавать прецедент.

— Нет, можете. Перечитайте учебник истории. Америка выросла на таких прецедентах. По этой причине пилигримы приехали в Плимут, а посмотрите, что написано на статуе Свободы. Это все, о чем я прошу.

Она робко улыбнулась ему и, не дожидаясь ответа, вышла.

— Ты что, серьезно? — спросил ее Гейб, пока они шли по коридору. — Ты собираешься сдаться, если он, в конце концов, не согласится?

— Да. Так или иначе, но мы поедем домой. — Она взяла его за руку. — В крайнем случае будешь носить мне передачи каждое воскресенье.

— Это большой риск. Он — упрямый тип. Всегда

тяжело иметь дело с людьми, которые считают, что на их стороне правда.

— Мы просто должны доказать ему обратное. Он уже допустил одну ошибку. Он сказал, что я рискую всем, что у меня есть. — Она ласково улыбнулась ему. — Но все, что у меня есть, — это ты. И я никогда тебя не потеряю.

Эпилог

— Ронни, где ты?

— На кухне, — отозвалась она. — И не кричи, пожалуйста. Еще немного, и пирог будет готов.

— Ты что, готовишь? — подозрительно спросил Гейб, появляясь на пороге кухни.

— Вроде того. На прошлой неделе я брала интервью у шеф-повара ресторана в Марасефе, и он сказал, что любой человек может хорошо готовить, если сосредоточится. Сам он вместо дрожжей использует медитацию.

— И что, от этого тесто поднимается?

— В любом случае хуже от медитации ему не будет.

— И мне придется это есть? — с тоской поинтересовался Гейб.

— Мне это было бы приятно. — Она снова уставилась на пирог сквозь прозрачную дверцу духовки. — Кстати, а ты почему так рано вернулся? Мне казалось, ты собирался пообедать с шейхом.

— Мне позвонили сегодня в офис, и я отменил обед. — Он помолчал. — Звонил Пилзнер.

— У меня же есть еще восемь месяцев. Они не могут изменить срок.

— Именно это он и собирается сделать. Он хочет, чтобы я лично сопровождал тебя на суд в Майами.

— Что?

— Ага, попалась! — Гейб рассмеялся и, подхватив ее на руки, принялся кружить по кухне. — Я пошутил.

Радость охватила Ронни.

— Я убью тебя. Что он на самом деле сказал?

— Он узнал о том, что ты получила премию Эмми за материал о нелегальных иммигрантах. Он считает эту историю субъективной и излишне сентиментальной.

— Это звучит не очень оптимистично.

— А еще он сказал, что устал получать доклады о твоей благотворительной деятельности и прошения о том, чтобы тебя наконец амнистировали и выдали тебе гражданство. Его люди просто не справляются с таким объемом работы.

— Гейб!

— Он сказал, что ты самая упорная женщина на свете. И что если он не сдастся, то ты найдешь какое-нибудь средство от всех смертельных болезней, чтобы прославиться во всем мире. А он будет при этом выглядеть бессердечным чудовищем.

— И что? — Она затаила дыхание.

Гейб вынул из кармана черную бархатную коробочку и протянул ей.

— Он просил передать тебе это.

— Он прислал мне подарок?

— Не совсем. На самом деле это от меня.

Ронни открыла коробочку. На черном бархате сияло

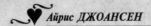

изумительное жемчужное ожерелье с рубинами и сапфирами.

Ронни вспомнила слова, которые произнес Гейб в тот момент, когда подарил ей серьги с разноцветными камнями в день их свадьбы пять лет назад.

Она оторвала глаза от ожерелья и взглянула на него.

— Мы возвращаемся домой, любовь моя.

СОДЕРЖАНИЕ

Литературно-художественное издание

Айрис Джоансен

ЕДИНСТВЕННЫЙ МУЖЧИНА

Редактор *Т. Михалева*
Художественный редактор *С. Курбатов*
Технические редакторы *Н. Носова, В. Фирстов*
Корректор *Н. Овсяникова*

Налоговая льгота — общероссийский классификатор
продукции ОК-005-93, том 2; 953000 — книги, брошюры.

Подписано в печать с готовых диапозитивов 12.10.99.
Формат 84 × 108^1/$_{32}$. Гарнитура «Таймс».
Печать офсетная. Усл. печ. л. 15,96. Уч.-изд. л. 10,8
Тираж 10 100 экз. Заказ 1626.

Изд. лиц. № 065377 от 22.08.97.

ЗАО «Издательство «ЭКСМО-Пресс»,
125190, Москва, Ленинградский проспект,
д. 80, корп. 16, подъезд 3.

Отпечатано в полном соответствии
с качеством предоставленных диапозитивов
в ОАО «Можайский полиграфический комбинат».
143200, г. Можайск, ул. Мира, 93.

Книжный клуб "ЭКСМО" - прекрасный выбор!

Приглашаем Вас вступить в Книжный клуб "ЭКСМО"! У Вас есть уникальный шанс стать членом нашего Клуба одним из первых! Именно в этом случае Вы получите дополнительные льготы и привилегии!

Став членом нашего Клуба, Вы четыре раза в год будете БЕСПЛАТНО получать иллюстрированный клубный каталог.

Мы предлагаем Вам сделать свою жизнь содержательнее и интереснее!

С помощью каталога у Вас появятся новые возможности! В уютной домашней обстановке Вы выберете нужные Вам книги и сделаете заказ. Книги будут высланы Вам наложенным платежом, то есть БЕЗ ПРЕДВАРИТЕЛЬНОЙ ОПЛАТЫ. Каждый член Вашей семьи найдет в клубном каталоге себе книгу по душе!

Мы гарантируем Вам:

- Книги на любой вкус, самые разнообразные жанры и направления в литературе!
- Самые доступные цены на книги: издательская цена + почтовые расходы!
- Уникальную возможность первыми получать новинки и супербестселлеры и не зависеть от недостатков работы ближайших книжных магазинов!
- Только качественную продукцию!
- Возможность получать книги с автографами писателей!
- Участвовать и побеждать в клубных конкурсах, лотереях и викторинах!

Ваши обязательства в качестве члена Клуба:

1. Не прерывать своего членства в Клубе без предварительного письменного уведомления.
2. Заказывать из каждого ежеквартального каталога Клуба не менее одной книги в установленные Клубом сроки, в случае отсутствия Вашего заказа Клуб имеет право выслать Вам автоматически книгу – "Выбор Клуба"
3. Своевременно выкупать заказанные книги, а в случае отсутствия заказа – книгу "Выбор Клуба".

Примите наше предложение стать членом Книжного клуба "ЭКСМО" и пришлите нам свое заявление о вступлении в Клуб в произвольной форме.

По адресу: 101000, Москва, Главпочтамт, а/я 333, "Книжный клуб "ЭКСМО"

В заявлении обязательно укажите полностью свои фамилию, имя, отчество, почтовый индекс и точный почтовый адрес. Пишите разборчиво, желательно печатными буквами.

Отправьте нам свое заявление сразу же, торопитесь! Первый клубный каталог уже сдан в печать!

ТОЛЬКО ДЛЯ ДЕВЧОНОК!

ежемесячный иллюстрированный журнал

МАРУСЯ

"Маруся" — журнал, который можно абсолютно спокойно дать дочке в руки.

"Маруся" — журнал, за который Вам не придется краснеть.

МОДА
обзор новинок сезона
истории знаменитых Домов моды
советы известных модельеров

ЗЕРКАЛО
секреты красоты и обоняния
школа макияжа
обзор новинок косметики

ЧУВСТВА
любовные проблемы
школьная и семейная жизнь
советы психологов

ШОУ
новости музыки и кино
интервью со «звездами» эстрады
хит-парад

СТИЛЬ
путешествия
обзор книжных новинок
хобби

ДОМ
оригинальные кулинарные рецепты
выкройки
цветоводство

Фирменная рубрика журнала — ежемесячный конкурс «Девочка с обложки»

а также гороскопы, гадалки, кроссворды, тесты

Подписка по Объединенному каталогу «Подписка-2000»

«НАСЛАЖДЕНИЕ»
СОВРЕМЕННЫЙ ЖЕНСКИЙ РОМАН

О минутах блаженства слагают поэмы, о наслаждении мечтают наяву и во сне... Серия современных романов – о женской любви и пропасти разочарований, о безумных восторгах и подлом предательстве, о вечном сладостном поединке мужчин и женщин, охваченных всепоглощающей страстью.

В ЭТОЙ СЕРИИ ВЫХОДЯТ КНИГИ ТАКИХ АВТОРОВ, КАК:

Д.Коллинз, В.Кауи, Д.Дейли, Н.Робертс, С.Боумен, Б.Брэдфорд.

Все книги объемом 500-600 стр., золотое тиснение, красочная обложка, твердый переплет.

«ДЕТЕКТИВ ГЛАЗАМИ ЖЕНЩИНЫ»

Героини этих книг – женщины, они – в самом центре опасных, криминальных интриг. Киллеры, телохранители, частные детективы и... страстные любовницы. Они с честью выходят из всех передряг, которые готовит им злодей-случай. Эти представительницы слабого пола умеют смотреть смерти в лицо и способны посрамить даже самых матерых преступников. Ибо их оружие – ум, непредсказуемость и... женская слабость.

Все книги объемом 400-500 стр., твердая, целлофанированная обложка, шитый блок.

Наталья КОРНИЛОВА
Криминальный цикл «ПАНТЕРА»

Когда смерть смотрит в упор, уйти от нее невозможно. Но сотруднице детективного агентства, красавице Марии, удается обмануть костлявую и с честью выйти из очередной переделки. Словно пантера, она умеет неподвижно сидеть в засаде, драться в кромешной тьме, переносить нечеловеческую боль. И если схватка с бандитами для нее обычное дело, то поединок с маньяком-убийцей выдержит не каждый... Что же помогает ей оставаться во всех схватках победительницей? Эту тайну знает она одна...

«Пантера»
«Пантера: ярость и страсть»
«Пантера: за миг до удара»
«Пантера: одна против всех»

Дмитрий ЩЕРБАКОВ
Криминальный цикл «НИМФОМАНКА»

Публичные дома, воровские притоны, особняки «авторитетов», вокзалы и гостиницы – в этом мире приходится существовать и отчаянно бороться за выживание бандиту Северу и его подруге Миле. Они стремятся к нормальной человеческой жизни, но болезнь Милы, требующая «секса» на грани смертельного риска, не дает им вырваться из кровавого криминального хоровода. Вновь и вновь, как в кошмарном сне – сексуальные «сеансы», отчаянные схватки с подонками самых разных мастей, погони... И только чистая, подлинная любовь помогает им оставаться людьми.

«Нимфоманка»
«Нимфоманка: беспощадная страсть»
«Нимфоманка: любовь путаны»
«Нимфоманка-4»

Все книги объемом 500-600 стр., твердая, целлофанированная обложка, шитый блок.

«ДЕТЕКТИВ ГЛАЗАМИ ЖЕНЩИНЫ»

Собрание сочинений Т.Поляковой

Что общего между любовью и... преступлением? А то, что по жизни они идут рука об руку. Сексуальные и умные, страстные и прагматичные героини романов Т.Поляковой не боятся крови и мертвецов, милиции и бандитов. Они шутя играют со смертью, они готовы преступить самую последнюю черту и не блефуют только в настоящей любви. Потому что спрятаться от самой себя невозможно!

Т.Полякова «Невинные дамские шалости»
Т.Полякова «Ее маленькая тайна»
Т.Полякова «Мой любимый киллер»
Т.Полякова «Капкан для спонсора»

Собрание сочинений П.Дашковой

Если от чтения у вас перехватывает дыхание, если вам трудно отложить книгу, не дочитав ее до конца, если, прочитав роман, вы мысленно возвращаетесь к нему снова и снова... Значит, все в порядке — в ваших руках побывал детектив Полины Дашковой. Ведь каждая ее книга — новое откровение для поклонников детективного жанра!

П.Дашкова «Место под солнцем»
П.Дашкова «Образ врага»
П.Дашкова «Золотой песок»

Собрание сочинений А.Марининой

Что ни говори, а книги Александры Марининой запали в душу читателей. Их любят молодые и старые, женщины и мужчины, утонченные эстеты и просто поклонники остросюжетного жанра. Александра Маринина – это детективное чудо, происходящее у нас на глазах. Ее популярности могут позавидовать и эстрадные звезды, и знаменитые актеры, и телеведущие. Ибо сегодня Маринину знают все.

Ее книги разыскивают, расхватывают, их «проглатывают». Но главное, их всегда ждут.

А.Маринина «Я умер вчера»
А.Маринина «Мужские игры»
А.Маринина «Светлый лик смерти»

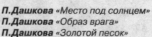

Все книги объемом 500-600 стр., целлофанированная обложка, шитый блок.